Médée

ANOUILH

Médée

Présentation, notes, dossier et cahier photos par
Grégoire SCHMITZBERGER,
ancien élève de l'ENS rue d'Ulm,
agrégé de lettres classiques

Flammarion

**Du même auteur,
dans la collection «Étonnants Classiques»**

La Grotte

© Éditions La Table Ronde, Paris, 1947, 1997.
© Éditions Flammarion, 2014, pour l'apparat critique de la présente édition.
ISBN : 978-2-0812-4968-4
ISSN : 1269-8822

SOMMAIRE

Médée

Médée, un tournant dans l'œuvre de Jean Anouilh

La naissance d'un dramaturge

Fils d'un tailleur et d'une pianiste, Jean-Marie-Lucien-Pierre Anouilh voit le jour le 23 juin 1910 à Bordeaux. Dès 1921, sa scolarité au lycée Chaptal à Paris est l'occasion de ses premières amours théâtrales : il s'y lie d'amitié avec Jean-Louis Barrault[1], du même âge que lui, et qui deviendra un grand homme de théâtre. Pendant son adolescence, il découvre deux dramaturges français, qui le marquent par leur style, leur poésie et la force de leurs œuvres : Jean Cocteau (1889-1963) et Jean Giraudoux (1882-1944). Anouilh assiste notamment à une représentation du ballet *Les Mariés de la tour Eiffel*, dont Jean Cocteau a rédigé le livret. Ce spectacle l'impressionne au point qu'il écrira, trente-cinq ans plus tard : « Jean Cocteau venait de me faire un cadeau somptueux et frivole : il venait de me donner la poésie du théâtre[2]. » De même, en 1928, quand il découvre la première

---

1. *Jean-Louis Barrault* (1910-1994) : comédien, metteur en scène et directeur du théâtre de l'Odéon à Paris.
2. « Cadeau de Jean Cocteau », *Voix des poètes*, avril-juin 1960, cité dans Jean Anouilh, *En marge du théâtre*, éd. Efrin Knight, La Table ronde, 2000, p. 100.

pièce de Giraudoux, *Siegfried*, il décide d'en apprendre le texte par cœur, tant elle le séduit.

Jean Anouilh travaille d'abord brièvement au bureau des réclamations d'un grand magasin parisien, avant de s'engager deux ans dans une agence de publicité, où il fréquente notamment le poète Jacques Prévert (1900-1977). Toutefois, son goût pour le théâtre le pousse à devenir, de 1929 à 1930, secrétaire général de la Comédie des Champs-Élysées, salle parisienne que dirige alors Louis Jouvet[1], malgré quelques frictions avec ce dernier.

En 1932, Jean Anouilh fait représenter *L'Hermine*, pièce appréciée de la critique. Le jeune dramaturge présente d'autres textes qui connaissent l'échec, jusqu'au *Voyageur sans bagage*, en 1937, créé au théâtre des Mathurins dirigé par Georges Pitoëff[2]. Cette œuvre, dont le personnage principal souffre d'amnésie, rencontre un immense succès. Lancé dans la carrière théâtrale, Anouilh met en scène et compose des dizaines de pièces ; il adapte aussi celles d'autres auteurs (notamment Shakespeare). C'est en 1946 qu'il publie *Médée*, récriture d'une légende grecque antique, au sein d'un recueil intitulé *Nouvelles pièces noires*. Il écrit jusque dans les dernières années de sa vie, rongées par la maladie, et décède le 3 octobre 1987 à Lausanne, en Suisse.

Une œuvre aux multiples facettes

Ce que le grand public connaît d'Anouilh, c'est surtout la pièce *Antigone*. Inspirée d'un mythe antique qu'avait déjà traité

---

1. *Louis Jouvet* (1887-1951) : comédien et metteur en scène français, directeur de plusieurs théâtres parisiens.
2. *Georges Pitoëff* (1884-1939) : acteur, décorateur et metteur en scène, directeur du théâtre des Mathurins, à Paris, de 1934 à sa mort.

le tragique grec Sophocle[1], cette histoire d'une jeune fille qui refuse d'obéir aux lois et qui en est punie de mort frappe les esprits. En effet, en transgressant les ordres de Créon, Antigone défie l'ordre établi. Quand on songe que cette pièce date de 1944, date où l'Allemagne nazie occupait la France, on comprend mieux que ce texte ait engendré une polémique, certains y voyant un soutien à la Résistance, d'autres y lisant au contraire une apologie du gouvernement de Vichy, à travers le discours de Créon.

Or Anouilh est un auteur dramatique prolifique : outre les pièces qui connaissent le succès (*Antigone*, *Le Voyageur sans bagage*, ou encore *Becket ou l'Honneur de Dieu*, qui date de 1959), il a composé des dizaines d'œuvres théâtrales, qu'il fait paraître dans des recueils thématiques : *Pièces roses*, *Pièces noires*, *Nouvelles pièces noires*, *Pièces brillantes*, *Pièces grinçantes*, *Pièces costumées*, *Nouvelles pièces grinçantes*, *Pièces baroques*, *Pièces secrètes*, *Pièces farceuses*.

Cette classification permet de mieux se repérer dans la vaste production d'Anouilh, d'en souligner les différentes facettes ; outil de compréhension et de travail utile, elle éclaire également le contenu des pièces. Par exemple, on peut noter que le lien à l'Antiquité n'est pas un élément suffisamment important pour constituer une catégorie à part entière. Ainsi, *Médée* ne figure pas dans des « pièces antiques », mais paraît en 1946 dans le recueil intitulé *Nouvelles pièces noires*. En général, de nom-

---

1. *Sophocle* (495-406 av. J.-C.) : dramaturge grec. Sa pièce *Antigone* se déroule à Thèbes. Deux frères ennemis, Polynice et Étéocle, s'entretuent au cours d'une guerre civile. Le roi Créon ordonne aux Thébains de préparer à Étéocle des funérailles en grande pompe et de laisser Polynice sans sépulture. Mais Antigone, leur jeune sœur, bafoue l'ordre du souverain et tente d'inhumer son frère pendant la nuit. Créon la fait exécuter. Il en sera puni : son propre fils Hémon, fiancé à Antigone, se suicide à l'annonce de la mort de sa promise.

breuses œuvres sont dites «noires» ou «grinçantes»; ces deux catégories ont chacune fait l'objet d'un second recueil (*Nouvelles pièces noires* et *Nouvelles pièces grinçantes*). Cela reflète fidèlement l'esprit des textes d'Anouilh, souvent sombres, présentant des personnages caustiques, qui ont un rapport douloureux avec la vie et la normalité. *Médée* n'en est-elle pas un des meilleurs exemples? Cette femme, fratricide et infanticide, qui déclare «Je hais leur joie» (p. 49) et refuse le bonheur, illustre de façon éclatante le pessimisme du théâtre d'Anouilh. Elle fait partie des héros tragiques et noirs qu'affectionne le dramaturge, mais qui peuvent dérouter le spectateur.

Médée, une création boudée

Les premières créations de *Médée* ont été considérées comme un échec. Écrite en 1946, cette pièce est jouée en 1948 au Kammerspiele de Hambourg, en Allemagne, dans une mise en scène signée Robert Michael. En France, il faut attendre 1953 pour que la pièce soit créée, le 25 mars, au théâtre de l'Atelier, avec André Barsacq (1909-1973) comme metteur en scène. Elle n'est représentée que trente-deux fois à Paris, ce qui est très peu comparé à *Antigone*. L'échec est évident. Comment l'expliquer?

Tout d'abord, certains partis pris d'Anouilh ont pu choquer. Même s'il s'inspire d'un mythe grec, le dramaturge le transpose dans un contexte bohémien, installant Médée, héroïne antique, dans une roulotte. Ce n'est qu'avec réticence que le peintre décorateur et le metteur en scène ont accepté un tel décor, et ce choix a été vivement critiqué. Tentant de le justifier, Anouilh a prétexté que l'univers tzigane, suggéré par la roulotte, donnait plus de force au thème de la vengeance. La critique n'a pas été convaincue.

L'accueil peu enthousiaste du public peut également s'expliquer par la piètre prestation de l'actrice principale. À l'origine,

Médée devait être incarnée par Monelle Valentin, la talentueuse femme d'Anouilh. L'état de santé de celle-ci ne le lui permettant pas, le rôle est revenu à la comédienne Michèle Alfa. « Petite bonne femme d'assez médiocre allure », « menue, gringalette », « n'exprimant rien et débitant son rôle à peu près comme on lit un texte à la radio »[1], voilà ce qu'a pensé la critique de cette actrice. C'est dire combien elle a pu desservir la pièce, bien qu'elle fût entourée de Jean Servais, acteur expérimenté, dans le rôle de Jason, et même du tout jeune Jean-Paul Belmondo, jouant le Garçon anonyme.

Enfin, explication plus intéressante, le public a peut-être été étonné, voire déçu, par le texte. Habitués à un Anouilh ironique, tragi-comique, parfois complexe dans son style et sa scénographie, les premiers spectateurs de *Médée* ont été confrontés à une tragédie d'une apparente simplicité, crue, incisive. L'intrigue est connue d'avance, les personnages très peu nombreux, moins nombreux même que dans les versions antiques de la légende. D'une plume terriblement nette et bien taillée, Anouilh crée une Médée telle qu'on ne l'a jamais vue. À cette relecture du mythe purifiée des moindres scories correspond un théâtre que certains qualifieraient de statique. La pièce n'est pas divisée en actes ni en scènes, à la différence du théâtre classique et antique[2]. En cela, la présentation du texte peut être considérée comme monolithique. Certains passages sont aussi particulièrement durs et désespérants, notamment quand Jason refuse de se retourner pour regarder Médée une dernière fois (p. 85). Cette situation reprend, en l'inversant, le motif d'Orphée ramenant

---

1. Critiques citées dans l'introduction à *Médée* dans Anouilh, *Eurydice and Médée*, éd. E. Freeman, Blackwell's French Texts, Oxford, 1984.
2. Les tragédies antiques se divisaient en parties parlées (les épisodes, déclamés par les acteurs) et chantées (les stasimons, entonnés par le chœur, groupe de figurants qui observent et commentent l'action).

des Enfers son épouse Eurydice[1], autre mythe qu'Anouilh a exploré dans sa pièce *Eurydice* (1942). Orphée ne doit pas se retourner avant d'atteindre le monde des vivants, pour espérer revoir son épouse. Mais il le fait. Jason pourrait se retourner et revoir Médée, au moins comme un ultime apaisement. Il ne le fait pas. La scène est d'une simplicité terrible, d'une linéarité poignante. Dans l'ensemble, la brièveté et la noirceur brutale de la pièce ont pu déconcerter l'assistance.

Quoique la pièce n'ait pas reçu l'accueil qu'elle méritait, *Médée* reste une étape assez décisive dans l'œuvre de Jean Anouilh. Le philosophe existentialiste Gabriel Marcel (1889-1973) voit dans *Médée* un pivot dans la production du dramaturge : « Il m'est tout à fait impossible de ne pas attacher à cette fin une signification symbolique. Pour la première fois, me semble-t-il, le charme est perçu comme maléfice, et du coup il est rompu. L'adieu de Jason à Médée, c'est l'adieu d'Anouilh à son œuvre antérieure[2]. » L'auteur exprime donc des enjeux personnels, artistiques et dramaturgiques, par le biais de l'histoire universelle qu'est le mythe.

---

1. *Eurydice* : épouse du légendaire poète Orphée. Elle mourut prématurément après son mariage. Inconsolable, Orphée se rendit dans les Enfers, le monde souterrain des morts. Il obtint des dieux infernaux la permission de ramener Eurydice à la vie, à condition qu'il la reconduise à la surface sans la regarder une seule fois. À la toute fin du voyage, Orphée ne résista pas à l'envie de se retourner pour voir sa femme et la perdit ainsi à tout jamais.
2. Gabriel Marcel, « Le tragique chez Jean Anouilh, de *Jézabel* à *Médée* », *Revue de Paris*, juin 1949, p. 109.

Le mythe de Médée

Qu'est-ce qu'un mythe?

Le mot *mythe* vient du grec *mythos*, qui signifie «parole, discours, récit, rumeur». Il désigne habituellement un récit symbolique, souvent doté d'une dimension religieuse et d'une visée explicative, sinon pédagogique : le mythe raconte la création du monde, les origines des peuples... De cette manière, il permet de fonder une culture commune. C'est pour cette raison qu'il ne recule pas à l'idée de rapporter des actes jugés terribles, au contraire : la légende réaffirme certains interdits (infanticide, parricide, inceste, etc.) en insistant sur l'horreur que la communauté doit ressentir devant ces actes. Le mythe représente donc le fondement indéniable de toute civilisation, et l'on sait la place immense qu'occupe la mythologie grecque dans notre culture occidentale.

Du Moyen Âge à nos jours, les légendes antiques n'ont pas cessé d'inspirer les plus grands artistes et ont conservé leur valeur primitive : expliquer. Mais elles ont aussi évolué dans une autre direction. Pour un créateur, recourir à une légende sert à exprimer ses propres fantasmes, à rapporter ses préoccupations personnelles ou celles de la société contemporaine à un discours connu et accepté de tous. Parce qu'il possède un caractère intemporel, le mythe se révèle malléable. Il peut être utilisé en pleine Renaissance ou au cœur du XXe siècle. Cette force d'adaptation en fait un support porteur et fécond, une grille de lecture du monde pour toutes les questions morales ou sociales. Car chaque époque suscite de nouvelles interrogations, surtout lorsqu'elle connaît des changements rapides, en particulier lors de l'invention de l'imprimerie à la Renaissance ou des révolutions industrielles du XIXᵉ siècle. Par conséquent, le mythe n'est pas une «histoire vraie», avec une seule version; au contraire, les artistes successifs accumulent les variantes de la légende[1]. C'est à cet exercice que se prête Anouilh quand il reprend la légende de Médée, si souvent traitée et utilisée en Occident.

Une version unique pour des œuvres multiples

Avant l'œuvre d'Anouilh, l'histoire de Médée a été le sujet de plusieurs textes littéraires, notamment de pièces de théâtre du dramaturge grec Euripide (v. 480-406 av. J.-C.), de l'auteur romain Sénèque (4 av. J.-C.-65 apr. J.-C.) et de l'auteur français Pierre Corneille (1606-1684). La plupart de ces ouvrages présentent, globalement, la même version de cette légende, indissociable de celle de Jason et de la conquête de la Toison d'or.

Quand Éson, le père de Jason, est chassé par son demi-frère Pélias du trône d'Iolcos, en Thessalie[2], son fils est encore trop jeune pour combattre l'usurpateur. Mais, une fois adulte, le héros décide de réclamer le trône à son oncle. Pélias accepte ce transfert de pouvoir à une seule condition : Jason doit lui apporter la Toison d'or, détenue par le roi Aïétès, dans le lointain pays de Colchide (à cheval sur la Turquie et la Géorgie actuelles), et surveillée par un dragon. Il s'agit en réalité d'une mission impossible, et Pélias espère que Jason y laissera la vie. Pourtant, le héros accepte de se lancer dans cette quête. Il fait construire un navire merveilleux, fabriqué en bois de chêne sacré : la nef *Argo*.

---

1. C'est le sens de la déclaration de l'anthropologue Claude Lévi-Strauss (1908-2009) : «Il n'existe pas de version vraie du mythe dont toutes les autres seraient des copies ou des échos déformés. Un mythe se compose de l'ensemble de ses variantes. C'est sa définition même» (*Anthropologie structurale*, Plon, 1958, p. 242).
2. *Thessalie* : région de Grèce centrale.

À ses côtés se trouvent une cinquantaine de compagnons, les Argonautes, pour la plupart des demi-dieux ou des héros. Cet équipage exceptionnel parvient au royaume de Colchide, sur les bords de la mer Noire.

Jason doit ensuite affronter deux épreuves que lui impose Aïétès en échange de la Toison d'or : atteler à une charrue des taureaux aux sabots d'airain, qui soufflent du feu ; semer dans un champ les dents d'un dragon, qui font naître aussitôt des soldats agressifs, et vaincre cette armée sortie de terre. Pour triompher de ces défis, Jason fait appel à la fille d'Aïétès, Médée. Celle-ci se révèle être une puissante magicienne et prêtresse d'Hécate, la déesse de la sorcellerie. Tombée amoureuse du héros, la princesse lui donne un onguent, qui permet au jeune homme de résister au feu des taureaux, et une pierre, que Jason jette au milieu des soldats nés de la terre, ce qui les pousse à se disputer et à s'entretuer. Or Aïétès ne veut pas accomplir sa part du marché et céder la Toison d'or. Médée trahit alors son père : elle endort le dragon gardien et aide Jason à s'emparer du trophée. Le héros s'enfuit de la Colchide avec sa complice et ses compagnons. Pour assurer leur sécurité, Médée emmène comme otage Apsyrtos, son frère.

Alors que les Argonautes filent vers la mer Égée à bord de leur navire, Aïétès se lance à leurs trousses dans une course-poursuite impitoyable. Craignant d'être rattrapée par la flotte de son père, Médée va jusqu'à découper en morceaux le corps de son propre frère. Elle en jette les tronçons à la mer, comptant sur la piété de son père qui, trop occupé à retrouver les membres éparpillés, cesse la poursuite et préfère offrir des funérailles convenables à son enfant.

Jason et Médée retournent d'abord en Thessalie. Mais, lorsqu'ils remettent la Toison d'or au roi Pélias, celui-ci revient sur son engagement et refuse de rendre le trône à Jason. Pour venger son amant, Médée s'introduit auprès des filles de Pélias et se dit capable de rajeunir leur vieux père. Elle prouve son pouvoir en le testant sur un bélier, qu'elle égorge, découpe et fait bouillir dans un breuvage magique, et le bélier se transforme en agneau. Convaincues par ce spectacle, les filles de Pélias coupent leur propre père en morceaux et le plongent dans une marmite. Mais elles ignorent que la magicienne a remplacé la potion censée redonner la jeunesse à leur père par de l'eau... Pélias est ainsi assassiné par ses propres filles. Son fils Acaste chasse de Thessalie Jason et Médée, qui doivent fuir ensemble, leurs destinées étant définitivement liées.

Avec leurs deux enfants, Merméros et Phérès, ils se réfugient dans le sud de la Grèce, dans la cité de Corinthe, royaume de Créon. Mais Jason tombe amoureux de Créuse, la fille du roi. Ce dernier propose au héros d'épouser la jeune princesse; Médée, en revanche, sera répudiée et bannie du royaume. La magicienne exécute alors une vengeance sanglante : le meurtre de ses deux fils. Ce crime fournit le sujet des tragédies consacrées à ce personnage, d'Euripide à Anouilh.

Une légende fascinante

En quoi l'histoire de Médée est-elle assez fascinante pour inspirer tant d'auteurs, depuis l'Antiquité classique jusqu'au XXᵉ siècle? En lisant le texte d'Anouilh, on se rend compte que cette légende aborde un certain nombre de points névralgiques de notre culture, de nos sociétés occidentales.

Tel qu'Anouilh le présente, le mythe traite d'abord de la relation amoureuse. En effet, le dramaturge met le spectateur face au couple de Jason et de Médée, fusionnel jusqu'au dénouement tragique. Dès le début de la pièce, où le rideau dévoile Médée sur la scène, le public attend l'entrée de Jason. Les deux personnages sont indissociables, unis par la force de leur amour, mais aussi par la violence de leurs crimes communs. Si c'est Médée qui se souille les mains de sang, elle ne commet ses crimes que pour défendre les intérêts de Jason. Ce couple est pourtant au bord du déchirement : les personnages sont sur le point de se séparer, ce qui les forcerait à affronter la solitude. Ce thème de la solitude est constant dans *Médée* – de la roulotte à l'écart de la cité, qui sert de refuge à l'héroïne, à l'incompréhension qui s'installe entre elle et ses différents interlocuteurs – comme dans la majeure partie des pièces d'Anouilh, lequel parle du «thème de cette rencontre de deux solitudes qu'on appelle un couple[1]». Jason et Médée se sont coupés l'un de l'autre et, ajoute Anouilh, se sont trompés l'un l'autre[2]. Mais, si la princesse exilée a été infidèle à son amant, elle lui donne ses raisons : «Tu t'échappais déjà. Ton corps reposait près de moi chaque nuit, mais dans ta tête, dans ta sale tête d'homme, fermée, tu forgeais déjà un autre bonheur, sans moi. Alors j'ai essayé de te fuir la première, oui!» (p. 74). Suivant cette logique, tromper l'autre ne cause pas la défaite de l'amour; l'infidélité n'est qu'un symptôme de la passion qui lie irrémédiablement les personnages. Quand Médée s'écrie : «Comme ce serait facile un monde sans Jason!», et que Jason lui répond : «Un monde sans Médée! Je l'ai rêvé aussi», on comprend que leur union est plus puissante que la discorde qui les sépare. À Médée de conclure : «Mais ce monde comprend et Jason et Médée, et il faut bien le prendre comme il est» (p. 70). Comme elle le souligne, les deux membres du couple ne font plus qu'un, ils forment un tout, «Jason-Médée» (p. 65). Et c'est au moment où le héros décide

---

1. Dans un article de la revue *Arts*, 23-30 septembre 1953, à propos de la représentation d'une œuvre de l'Italien Ugo Betti.
2. Ces infidélités ne sont pas mentionnées dans les versions antiques de la légende : il s'agit probablement d'une invention d'Anouilh.

de se marier à Créuse, où Jason n'est plus une part de Médée, que cette dernière considère que leurs fils n'ont plus de raison d'être. Ce sont les enfants de Jason seul, voire les enfants de personne. Il n'y a qu'une issue : les supprimer, pour répondre logiquement à l'absurdité de leur existence.

En effet, au thème de l'union amoureuse s'ajoute la question de l'infanticide. Ayant tué ses enfants, démembré son frère et trahi son père, Médée a commis tour à tour l'infanticide, le fratricide et, symboliquement, le parricide. Anouilh résume ses crimes passés en lui faisant dire à la Nourrice : «On est parties parce que j'aimais Jason, parce que j'avais volé pour lui mon père, parce que j'avais tué mon frère pour lui!» (p. 50). C'est dire combien le mythe de Médée et l'horreur qu'il inspire servent à fonder la morale d'une civilisation. Aujourd'hui encore, attenter aux membres de sa famille fait partie des crimes considérés comme les plus odieux en Occident.

Enfin, cette légende aborde le problème de la fidélité à sa patrie. En effet, Médée a fui son pays et son peuple. Elle devient une figure d'apatride : d'un côté, elle n'a pas hésité à duper les siens, à s'aliéner sa patrie et sa famille, et à s'exiler ; de l'autre, en tant que Colchidienne, elle est étrangère aux peuples grecs qu'elle côtoie. Médée est traitée par les Corinthiens en réfugiée, tolérée puis rejetée par un pays qui n'est pas le sien. Le mythe permet ainsi d'interroger la relation à autrui, le rapport à l'étranger, la xénophobie qui, dès l'Antiquité, était au cœur de certains débats politiques.

Antiquité et modernité

Médée, une pièce riche d'emprunts à la tradition

Quand Jean Anouilh s'empare du mythe de Médée et de Jason, ce sujet a déjà été traité par les plus grands noms de l'histoire littéraire occidentale. Euripide, Sénèque, Corneille, voilà de quoi faire reculer plus d'un auteur. Et pourtant, Anouilh relève ce qui a toutes les allures d'un véritable défi et en sort haut la main. Tout en rapportant fidèlement la légende, il parvient à rompre avec les œuvres passées et à faire de sa pièce une œuvre originale et personnelle.

Sa première source d'inspiration est l'ouvrage de l'auteur grec Euripide. En 431 av. J.-C., celui-ci compose la plus ancienne des tragédies consacrées à Médée. Il veille à s'approprier le mythe et à l'offrir à son public sous une forme inédite : Jason ressemble moins au héros légendaire qu'à un Athénien contemporain du dramaturge. Il fait figure de sophiste[1], maîtrise le discours et le manie comme une arme. En revanche, Euripide fait de Médée un portrait émouvant et profond. Le tragique grec se montre capable de créer de la sympathie (au sens étymologique de «souffrance partagée») pour cette femme brisée par un destin terrible et victime des forfaits de Jason. Elle, la magicienne venue des terres étrangères de Colchide, elle, la barbare, éveille pourtant la compassion du roi d'Athènes Égée[2] et celle du

---

1. *Sophiste* : dans l'Antiquité grecque, maître de rhétorique qui enseignait l'art de bien parler en public pour servir son intérêt personnel ; par extension, toute personne qui persuade autrui avec de beaux discours.
2. *Égée* : roi légendaire d'Athènes, père du héros Thésée. Il figure dans *Médée* d'Euripide : passant par Corinthe lors d'un voyage, il reconnaît et salue Médée. Touché par le récit de ses malheurs, il lui offre un asile à Athènes où elle pourra se réfugier quand elle aura fui le royaume de Créon.

chœur des Corinthiennes, qui assistent à l'action. Sensible et d'une redoutable intelligence, Médée aborde elle-même le thème du divorce avec pertinence. Et quand Jason prétend vouloir se marier avec la princesse de Corinthe uniquement pour assurer la sécurité de sa famille, elle refuse clairement ce bonheur-là : « Qu'on ne me parle pas d'un bonheur que je ne pourrais que déplorer, d'une prospérité dont mon cœur serait ulcéré[1] ! » Comment ne pas entendre un écho frappant de cette réplique dans le célèbre « non au bonheur » (p. 53) de *Médée* d'Anouilh ?

Cependant, de façon assez étonnante, c'est la tragédie *Médée* de l'auteur romain Sénèque que Jean Anouilh semble avoir utilisée de façon prédominante, puisqu'il y puise un certain nombre de formules. Sénèque était philosophe et membre de la classe dirigeante à une période-clé de l'histoire de Rome, le [er] siècle de notre ère, qui correspond au premier siècle de l'Empire romain (fondé en 27 av. J.-C. par Auguste). À cette époque, l'empereur romain Néron (37-68 apr. J.-C.) se distingue par son sens aigu de la corruption, du scandale, de la provocation. En réaction à cette période de troubles majeurs, Sénèque s'appliqua à formuler dans ses ouvrages les leçons de sa philosophie, le stoïcisme, qui prônait l'absence de passions, la vie spirituelle restant parfois le dernier rempart contre la dépravation ambiante. Le style de Sénèque est ainsi composé de phrases sentencieuses, voire de maximes philosophiques. L'auteur latin insiste sur la douleur, puis sur la fureur qui s'emparent de Médée et vont la pousser à tuer ses fils. Sénèque est d'ailleurs le seul à bien montrer sur scène l'assassinat que commet Médée : puisque l'infanticide est un acte dont on ne saurait parler tant

1. Euripide, *Médée*, in *Les Tragiques grecs*, trad. V.-H. Debidour, Éditions de Fallois, coll. « La Pochothèque », 1999, p. 827.

il est monstrueux, alors on le montre. En cela, ce qui distingue la tragédie de Sénèque des autres versions du mythe, c'est sa théâtralité. De plus, Sénèque déploie une ingéniosité rhétorique dans les discours de son héroïne ; Médée exprime sa colère et sa souffrance dans des tirades ou monologues frappants, où la rhétorique se met au service de la parole théâtrale.

Certes, par contraste, Anouilh propose une *Médée* faite de phrases simples et nues, sans qu'on y entende les sentences morales et les grandes phrases d'orateur professionnel qui abondent dans la version de Sénèque. Mais on remarque que l'auteur du xxᵉ siècle a repris le schéma de la pièce romaine, en s'affranchissant notamment du personnage d'Égée ; les deux fils de Médée et de Jason sont censés rester avec leur père, comme chez Sénèque, alors que, dans la version d'Euripide, ils sont exilés en même temps que leur mère. De façon encore plus directe, Anouilh traduit mot pour mot certaines phrases de la pièce latine et les insère dans son texte, comme la suivante : « Désormais j'ai recouvré mon sceptre, mon frère, mon père et la toison du bélier d'or est rendue à la Colchide : j'ai retrouvé ma patrie et la virginité que tu m'avais ravies [1] ! » (p. 91). Voilà les derniers mots qui précèdent la fuite de l'héroïne, chez Sénèque, et son suicide, chez Anouilh. De la même manière, Médée s'exclame dans la pièce latine : *Medea nunc sum* (« Je suis maintenant Médée »). Comment ne pas voir un rappel poignant de cette formule dans le simple et cinglant « C'est moi ! » d'Anouilh (p. 91) ?

Au xviiᵉ siècle, l'auteur français Pierre Corneille fait aussi dire à l'héroïne : « Moi/ Moi, dis-je, et c'est assez » (acte I, scène 4,

---

1. On comparera cette réplique avec celle de Sénèque : « Enfin, enfin, j'ai recouvré mon sceptre, mon frère, mon père, et la Colchide détient la dépouille du bélier d'or ; mon royaume m'a été rendu, m'a été rendue la virginité qui m'avait été ravie » (Sénèque, *Médée*, trad. Ch. Guittard, GF-Flammarion, 1997, p. 86).

v. 317-318), dans sa *Médée*, écrite en 1634. Conscient de reprendre l'héritage que constituent les pièces d'Euripide et de Sénèque, il déclare dans son *Épître à M. de Zuylichem* : «Cette femme, [...] Euripide l'a présentée aux Grecs, tremblante et adressant à Créon d'indignes prières : Sénèque, aux Latins, cruelle et terrible à l'excès pour Jason, pour Créuse. Nous, nous l'avons offerte aux Français, gonflée d'orgueil, emportée par la fureur[1].» Corneille, qui rédige *La Toison d'or* en 1660, crée une Médée caractéristique de l'esthétique baroque. Empoisonneuse, comme chez Euripide et Sénèque, elle devient une magicienne dotée d'un anneau d'invisibilité et personnifiant l'illusion tragique. Enfin, le roi athénien Égée n'est plus le protecteur de Médée, qui représentait la clémence et l'humanité d'Athènes dans la pièce d'Euripide; chez Corneille, c'est un rival de Jason épris de Créuse, un vieillard amoureux, caractéristique du Grand Siècle.

Le rapport à l'antique dans le théâtre du xxᵉ siècle

On l'a compris, porter sur scène un mythe grec relève d'une longue tradition. Dès le xvıᵉ siècle, les auteurs humanistes se sont employés à donner un nouvel essor à l'esprit antique, hérité de la littérature grecque et romaine. Pour ce faire, le genre théâtral semblait particulièrement indiqué, dans la mesure où il donne corps à la pensée et l'incarne dans des personnages. Ce mouvement se confirme au xvııᵉ siècle, où les chefs-d'œuvre du théâtre classique reprennent et transposent des légendes antiques : Pierre Corneille compose *Médée* (1634), mais aussi

---

1. Épître de Corneille à M. de Zuylichen [Constantin Huygens], 6 mars 1649, au sujet de l'édition de 1648 (cité dans *Œuvres complètes*, éd. G. Couton, Gallimard, coll. «Bibliothèque de la Pléiade», 1980, t. I, p. 1376-1377).

Andromède (1650); Jean Racine écrit *Andromaque* (1667), *Iphigénie* (1674) puis *Phèdre* (1677). Il faut noter cependant que, comme leurs prédécesseurs de la Renaissance, les auteurs du XVIIe siècle voient les légendes grecques à travers un filtre qui ressemble à un passage obligé : les versions latines de Sénèque. Pour le théâtre classique, il est également impensable de mélanger les genres et les tons; les pièces inspirées de l'Antiquité appartiennent pour la plupart au genre tragique, genre noble, sérieux et sombre.

Par la suite, la littérature française continuera à recourir aux mythes et à l'histoire gréco-romaine jusqu'à nos jours. L'Antiquité connaît une période de désamour durant la première moitié du XIXe siècle[1], mais, après cette parenthèse, le théâtre français renoue de plus belle avec les thèmes antiques. On observe alors deux phénomènes intéressants.

D'une part, aux XIXe et XXe siècles, les études sur la civilisation grecque se développent et ont ouvert la voie à une compréhension plus fine de ce monde. Le siècle de Louis XIV voyait dans l'Antiquité un monde harmonieux, calme, caractérisé par un classicisme beau et froid, incarné par Apollon, divinité de l'ordre, des arts et de la lumière (on parle de modèle «apollinien»). Le XIXe siècle prend désormais conscience de la profondeur et de la complexité de la pensée grecque, de son aspect dionysiaque, c'est-à-dire relevant de Dionysos, le dieu de l'ivresse et de la démence[2]. De surcroît, on ne lit plus les mêmes œuvres

---

1. Les auteurs romantiques, réunis autour de Victor Hugo (1802-1885), cherchent précisément à s'abstraire des thèmes antiques et à puiser leurs intrigues dans d'autres époques et d'autres cultures : Moyen Âge, Renaissance, époque contemporaine; Espagne, Saint-Empire romain germanique, etc. Ils créent ainsi le drame romantique, qui mélange les genres comique et tragique. Mais ce genre théâtral décline dès les années 1840.
2. Cette opposition entre «apollinien» et «dionysiaque» a été avancée par le philosophe allemand Friedrich Nietzsche (1844-1900) dans son traité *La Naissance de la tragédie* (1872).

antiques que par le passé. Par exemple, parmi les trois auteurs tragiques grecs que nous connaissons, Euripide était mis à l'honneur pendant les XVIᵉ et XVIIᵉ siècles, car ses œuvres donnaient à voir un monde grec apaisé et civilisé. Or, en 1872, le poète Charles Leconte de Lisle (1818-1894) traduit les pièces du dramaturge Eschyle (v. 526-456 av. J.-C.), textes plus sombres, bruts, parfois qualifiés de «primitifs». Leconte de Lisle cherche aussi à modifier la perception des mythes grecs. Il s'agit d'effacer le classicisme dont ces légendes sont affublées depuis des siècles, notamment en supprimant les noms latins francisés avec lesquels on désignait les personnages grecs. Ainsi, Leconte de Lisle écrit «Thèba» et non plus «Thèbes», «Prométhéus» pour «Prométhée», «Klytaimnestra» au lieu de «Clytemnestre». La littérature de la fin du XIXᵉ siècle souhaite retrouver l'art grec dans sa pureté et son authenticité.

D'autre part, une seconde tendance se manifeste dans ce retour à l'antique : la reprise de textes gréco-romains sur les modes burlesque[1] et satirique. Au XIXᵉ siècle, le genre de l'opéra-comique parodiant les légendes fait rage. Il suffit de citer *La Belle Hélène* (1864) d'Offenbach[2], où le mythe antique de l'enlèvement de la reine Hélène, cause de la guerre de Troie, est lardé d'anachronismes et d'allusions à la société du Second Empire. Le genre fleurit encore durant toute la Belle Époque[3], tant sous la forme théâtrale (comme dans *La Bonne Hélène* de Jules Lemaitre)[4] que sous celle d'écrits satiriques (par exemple

---

1. *Burlesque* : qui récrit des œuvres célèbres et sérieuses de manière comique.
2. *Jacques Offenbach* (1819-1880) : compositeur français d'origine allemande, célèbre pour ses opéras-bouffes (opéras au ton farcesque, satirique et parodique).
3. *Belle Époque* : période qui va de la fin du XIXᵉ siècle au déclenchement de la Première Guerre mondiale, en 1914.
4. *Jules Lemaitre* (1853-1914) : écrivain, poète, dramaturge et critique de théâtre.

Prométhée mal enchaîné d'André Gide)[1] ou de compositions plus singulières (notamment *Les Mamelles de Tirésias* de Guillaume Apollinaire)[2]. De tels jeux avec le matériau gréco-romain fournissent un indice du renouveau d'intérêt pour l'art de cette période. Il serait erroné de les accuser d'irrespect : ces nombreux textes satiriques ressemblent plus à un hommage à l'Antiquité qu'à une contestation de cet héritage. Cette coexistence de deux modes (retour à l'authenticité de la pensée antique et satires fondées sur des mythes grecs) prend tout son sens quand on se rappelle que, dans les concours de théâtre à Athènes au Ve siècle av. J.-C., l'auteur tragique devait présenter une tétralogie, composée de trois tragédies et d'une pièce satirique. Les Grecs eux-mêmes ne pouvaient concevoir un tragique permanent sans se donner l'occasion de rire entre deux tragédies. Le paradoxe n'est donc qu'apparent : ce qui aurait paru inconcevable à l'esthétique classique du XVIIe siècle français devient possible en embrassant d'un vaste regard ces deux tendances.

L'ironie et le sérieux de la pensée grecque, l'humour et la profondeur de la tragédie ne font donc pas mauvais ménage dans la littérature française du XXe siècle. Loin de décrier ce mélange assez neuf en France, des auteurs comme Jean Cocteau, Jean Giraudoux, André Gide, Jean-Paul Sartre[3] et Jean Anouilh se

---

1. *André Gide* (1869-1951) : écrivain français, fondateur de la *Nouvelle Revue française*, qui deviendra la revue littéraire de référence au XXe siècle. *Prométhée mal enchaîné* fait allusion à une pièce d'Eschyle, *Prométhée enchaîné*, où le Titan Prométhée est enchaîné au mont Caucase pour avoir volé le feu aux dieux.

2. *Guillaume Apollinaire* (1880-1918) : poète et critique d'art français. Très librement inspirées du mythe de Tirésias, devin grec qui changea deux fois de sexe, *Les Mamelles de Tirésias* racontent l'histoire d'une femme qui se transforme en homme.

3. *Jean-Paul Sartre* (1905-1980) : écrivain et philosophe français, politiquement engagé à gauche. Entre autres, il est l'auteur d'une pièce de théâtre nommée *Les Mouches*, inspirée du mythe d'Oreste, personnage qui tue sa mère pour venger son père.

l'approprient. Un excellent exemple en est *La Machine infernale* de Jean Cocteau, pièce qui reprend le mythe d'Œdipe[1]. Le premier acte regorge de mots d'esprit communs, sans grande finesse. Mais, pour contraster avec ce début, les actes suivants deviennent très sombres et graves. Quelques pièces qui mêlent reprise de mythes grecs, ton solennel et satire sont célèbres : *Amphitryon 38* (1929) et *La guerre de Troie n'aura pas lieu* (1935) de Jean Giraudoux, ou *Les Mouches* (1943) de Jean-Paul Sartre. Et comment ne pas penser à Anouilh lui-même, qui joue du même mélange dans sa pièce *Eurydice* ? Le père d'Orphée, qui ressemble à un vieux satyre jouant dans des bars interlopes, fait sourire, alors que le thème de la pièce reste profondément tragique. Dans *Médée* même, on trouve un certain nombre de passages où comique et sérieux se mêlent. Quand la Nourrice parle de la goutte qui la réjouit au moment d'aller se coucher (« C'est alors que c'est bon, si on a pu grappiner quelques sous, la petite goutte chaude au creux du ventre », p. 92), ou quand elle mentionne la joie de faire un café (« il y a le café à faire », p. 92), cela relève à la fois d'une vision du monde tout à fait sérieuse et d'une approche qui frappe par sa légèreté et que d'aucuns diraient dérisoire. De la même façon, lorsque la Nourrice appelle Médée de petits noms d'animaux (« louve », p. 56 et 59, « vautour », p. 55 et 59), le spectateur peut sourire du décalage entre l'âge de Médée et ces surnoms ; pourtant, ces derniers révèlent leur caractère sérieux et même effrayant dès que l'on considère quels types d'animaux sont mentionnés.

En définitive, on s'aperçoit que Jean Anouilh se rapproche plus de l'esprit grec que Jean Racine ou Pierre Corneille. C'est

---

1. *Œdipe* : roi de Thèbes. Sans le savoir, il tua son père Laïos et épousa sa mère Jocaste. Lorsque ce crime fut découvert, Jocaste se pendit et Œdipe se creva les yeux.

aussi la conséquence de l'évolution du public de théâtre, entre le XVIIᵉ siècle et les années 1940. À l'époque de Louis XIV, seule une élite intellectuelle applaudissait les pièces de Racine et de Corneille inspirées par la mythologie antique. Au XXᵉ siècle, le public de théâtre s'élargit et se diversifie. Il ressemble en cela aux spectateurs des tragédies grecques, issus de tous les milieux sociaux. La récriture du mythe de Médée et de Jason se fait donc dans un contexte de révolution du genre dramatique, dont Anouilh est l'un des acteurs.

Renouveau du genre, renouveau du mythe

Un théâtre du renouvellement

En effet, comme son prédécesseur Giraudoux, Jean Anouilh incarne une rupture avec la production théâtrale antérieure. De la moitié du XIXᵉ siècle à la Grande Guerre, la majorité des pièces de théâtre obéissaient à une esthétique réaliste. Le rythme des dialogues y était toujours le même, donné par la mesure d'une conversation courante. La mise en scène, l'éclairage, l'accompagnement sonore, les costumes se contentaient de reproduire la réalité, sans aucun effort ni aucune imagination créative. Ce manque d'originalité et de poésie pesait sur le théâtre français, sclérosé et conformiste à l'excès. André Gide écrivait en 1904 que «richesse des décors, éclat des costumes, beauté des femmes, talent et célébrité des acteurs» mais surtout «préoccupations sociales, patriotiques, pornographiques ou pseudo-artistiques de l'auteur »[1] assuraient le succès des pièces de théâtre d'alors. Si l'auteur ne se conformait pas à ces critères, ses œuvres n'avaient presque aucune chance d'être représentées. C'est dire combien l'atmosphère théâtrale de la Belle Époque souffrait du *diktat* d'une esthétique figée et d'attentes préétablies.

Jean Anouilh s'inscrit dans une volonté de renouvellement du théâtre français, par exemple, en abandonnant la division classique des pièces en actes et en scènes. Le texte de *Médée* se présente ainsi sous une forme linéaire, continue. Jean Anouilh apporte un certain nombre d'innovations théâtrales, à l'œuvre dans *Médée*. Par exemple, le nombre de personnages est très réduit : on entend surtout Jason et Médée, alors que la Nourrice et Créon sont bien moins présents sur scène. En outre, les très longues tirades de certains personnages (notamment celles dites lors du grand dialogue central) s'éloignent délibérément du rythme plus naturel et des dialogues courants que de nombreux auteurs ont adoptés. Enfin, Anouilh mêle les niveaux de langue, faisant cohabiter des termes grossiers, comme « putain », avec des expressions plus soutenues, « jérémiades » par exemple. Il cherche également à renouveler son propre théâtre. À ce titre, comme nous l'avons évoqué plus haut, *Médée* représente un seuil dans l'œuvre d'Anouilh, une page qui se tourne. En effet, cette tragédie apporte un point final à la période des « pièces noires ». L'écrivain se consacrera ensuite à des personnages plus grinçants — sans être moins tragiques pour autant — et à des textes à l'atmosphère moins lugubre.

Une nouvelle lecture du monde

Devant la floraison de pièces à sujets antiques à l'époque de *Médée*, on peut légitimement se demander si cet engouement

---

1. André Gide, « De l'évolution du théâtre », conférence prononcée à Bruxelles en 1904, in *Saül. Le roi Candaule*, Société du Mercure de France, 1904, p. 8.

pour la mythologie ne relève pas tout simplement d'une mode. Mais la raison de ce renouveau est plus profonde : le mythe n'a pas besoin d'être inventé ou retouché pour entrer en parfaite résonance avec notre monde contemporain et ses enjeux. Pour les auteurs qui se lancent dans la voie de l'engagement, comme Jean-Paul Sartre, l'emploi du mythe grec relève même de l'évidence.

Jean Anouilh comprend très bien ce principe dans son théâtre. Le caractère éminemment atemporel de ses personnages et de ses intrigues l'incite à aborder des questions de fond, qui ne dépendent ni d'une époque ni d'un lieu précis. Recourir au mythe permet également de ne pas citer ouvertement les attitudes ou les idéologies critiquées par l'auteur : en somme, il sert de couverture. Au-delà de ce qui serait un stratagème réducteur, l'autorité de la culture classique et de ses fondements donne plus de force à la dénonciation.

Anouilh propose une grille de lecture pour différents thèmes de société qui demandent des choix, qu'ils soient individuels ou collectifs. La question cruciale de sa pièce est celle de la relation à l'étranger, épineuse dans les années 1940. Dans ce contexte, la représentation de Médée en bohémienne est très provocatrice ! Certaines répliques de la Nourrice à Médée expriment l'amertume des expatriés, des émigrés, notamment cette phrase du premier dialogue : « Tu avais un palais aux murs d'or et maintenant nous sommes là, accroupies comme deux mendiantes, devant ce feu qui s'éteint toujours » (p. 50). Le déracinement de Médée ne poussera pas le lecteur à excuser ses crimes, mais au moins à se demander si elle est seule coupable, si la façon dont les Grecs la traitent est vraiment digne.

La séparation des deux héros est aussi une façon d'aborder en filigrane la question du divorce, encore si épineuse en 1946. Peut-on se séparer à l'amiable ? Doit-il y avoir faute ? Comment ne pas penser à ces questions, en assistant au déchirement du couple qu'Anouilh met en scène?

Anouilh introduit également dans le mythe le thème du suicide. De tous les auteurs qui ont exploité cette légende, il est le seul à imaginer une issue tragique pour son héroïne. En effet, de l'Antiquité à la version de Corneille, Médée s'enfuit sur un char tiré par des dragons; dans le texte d'Anouilh, elle reste sur scène et s'y donne la mort en incendiant sa roulotte. Pourquoi? Outre son côté spectaculaire, cette scène est aussi révélatrice de l'incompatibilité absolue qui existe entre la vision du monde de Jason, ordonné et diplomatique, et celle, plus crue et intraitable, de Médée. Les deux protagonistes le disent, ils rêveraient d'un monde sans l'autre; mais Médée rappelle que c'est impossible. C'est pourquoi la pièce ne peut que se conclure sur la destruction de l'un des membres du couple.

Simultanément, cette pièce présente un aspect propre au xxe siècle et à ses grands mouvements de pensée : le freudisme[1]. Telle est en tout cas la thèse de certains critiques, qui lisent *Médée* d'Anouilh à travers le prisme des théories freudiennes. Ces commentateurs insistent sur le rapport ambigu du personnage principal à son sexe et à son statut de femme. Comme Antigone, elle pourrait crier : « Ai-je assez pleuré d'être une fille[2]! » L'héroïne souffre d'une dépendance et d'une passivité sexuelles assez caractéristiques : « Il fallait bien que je lui obéisse et que je lui sourie et que je me pare pour lui plaire » (p. 56). Elle s'écrie également d'une manière très frappante :

---

1. *Freudisme* : ensemble des théories du médecin autrichien Sigmund Freud (1856-1939), fondateur de la psychanalyse. Celui-ci insista sur l'importance de la libido et de la sexualité dans la construction psychique d'un individu. L'un des concepts qu'il met en avant est le « complexe de castration » : pendant la petite enfance, la petite fille se verrait comme un garçon castré, privé de son pénis.
2. Anouilh, *Antigone*, La Table Ronde, 1975, p. 29.

«Amputée!... Ô soleil, si c'était vrai que je viens de toi, pourquoi m'as-tu faite amputée? Pourquoi m'as-tu faite une fille? Pourquoi ces seins, cette faiblesse, cette plaie ouverte au milieu de moi?» (p. 56-57). On ne saurait trouver plus évidente illustration du complexe de castration chez la femme. Certains critiques d'Anouilh[1] en déduisent une profonde misogynie de la part de l'auteur : Médée serait à la fois castrée et dévalorisée par rapport aux mâles. Elle se comporterait aussi en mère castratrice, puisqu'elle tue ses deux fils. Le personnage d'Anouilh hésite d'ailleurs beaucoup moins à commettre le meurtre que dans les versions précédentes de la légende. En effet, piégée par ses propres névroses, Médée n'aurait comme issue que l'autodestruction (qu'on retrouve dans le suicide et dans l'assassinat de ses propres enfants).

Même si la mère infanticide inspire une évidente horreur, il n'en demeure pas moins que sa force, son refus des concessions séduisent davantage que Jason, personnage de compromis et de bon sens. Quand ce dernier exprime finalement son attachement aux traditions et aux valeurs de la communauté, Médée, elle, clame son indépendance et défend sa propre vision du monde, fondée sur l'exigence de la pureté, c'est-à-dire l'absence de compromission. C'est parce qu'elle obéit à sa conception d'un amour total, qui la lie irrémédiablement à Jason, qu'elle n'hésite pas à commettre autant de crimes pour servir les intérêts de son amant; sa vengeance reflète une même intransigeance. Médée ne recule devant rien pour accomplir ses desseins. Au contraire, Jason déclare à la fin de la pièce d'Anouilh : «Je referai demain avec patience mon pauvre échafaudage d'homme sous l'œil indifférent des dieux» (p. 91). Et plus loin : «Il faut vivre

1. Voir notamment Duarte Mimoso-Ruiz, *Médée antique et moderne*, Presses universitaires de Strasbourg, 1982, p. 169-170.

maintenant, assurer l'ordre, donner des lois à Corinthe et rebâtir sans illusions un monde à notre mesure pour y attendre de mourir » (p. 91-92). C'est un humanisme relativiste que défend Jason, face à la radicalité de Médée. L'attitude du héros tranche ainsi avec l'*hybris*[1] qui a animé la vie passée des deux personnages.

Le mythe apparaît plus que jamais comme une grille de lecture de la société, mais il n'impose pas une vision univoque. Pour ainsi dire, il donne les points cardinaux du monde, mais le spectateur reste libre d'aller dans la direction qu'il souhaite prendre. À chacun de l'exploiter selon sa sensibilité et ses convictions. C'est le pari d'Anouilh, qui laisse au public le soin de se forger sa propre opinion. Il ne prend parti ni pour Jason ni pour Médée. Loin d'opposer bien et mal selon un schéma manichéen, *Médée* se révèle être une pièce très subtile et féconde.

Interprétations contemporaines de Médée

Scénographie

En termes de mise en scène, l'œuvre d'Anouilh n'invite pas à une scénographie très modulable. Selon le texte et les didascalies, l'action de la pièce se déroule dans une lande sèche, près de Corinthe. Une roulotte de bohémiens est présente. Le décor sur la scène sera nécessairement minimaliste. Pourtant, ces

---

1. *Hybris* : dans l'Antiquité grecque, attitude qui consiste à vouloir égaler ou dépasser les dieux. Un tel comportement est puni par Némésis, déesse de la vengeance divine.

indications sont interprétées différemment par les metteurs en scène. Par exemple, lorsqu'elle crée *Médée* au festival off d'Avignon en 2012, la compagnie Rhinocéros opte pour un décor figurant une décharge, un espace de mise à l'écart, d'exil perpétuel. Quant à la roulotte, élément marquant de la pièce d'Anouilh, certains en ont fait une caravane, voire un camping-car. Le suicide de Médée à la fin de la pièce offre aussi l'occasion de créer des effets spectaculaires : la roulotte est baignée de feux rougeoyants et de fumées, dans un spectacle d'apocalypse.

Les costumes reflètent aussi les différentes lectures du texte d'Anouilh que proposent les metteurs en scène. Dans la plupart des interprétations, l'habillement des personnages est sobre. En particulier, la robe de Médée est blanche, tirant sur l'écru, notamment dans la mise en scène de la compagnie Rhinocéros. L'actrice principale, Ariane Komorn, porte des vêtements d'un blanc cassé, et même souillé. Ce costume met l'accent sur le thème de la pureté (qui est omniprésent chez Anouilh) ; Médée pourrait-elle être vêtue d'un blanc immaculé ? On ne le conçoit guère. Ses vêtements donnent ainsi à voir la souillure des crimes, passés et à venir, qui entachent le personnage. D'autres metteurs en scène ont donné au personnage de Médée un aspect qu'on pourrait qualifier d'« ethnique ». C'est le cas de Ladislas Chollat, dans sa mise en scène datée de 2009, qui présente une Médée aux jambes tatouées, les épaules couvertes d'une peau de bête, mais vivant dans une caravane équipée de tout le matériel nécessaire à un camping rudimentaire. L'aspect de Médée n'en détonne que davantage dans le monde moderne qui l'entoure.

Les lectures contemporaines du mythe et la figure de l'apatride

Les récritures les plus récentes du mythe de Médée vont insister plus encore sur son statut d'étrangère. L'auteur de langue occitane Max Rouquette (1908-2005) reprend dans cette optique la pièce d'Euripide, lorsqu'il écrit *Médée*, en langue d'oc, en 1989, qu'il traduit en français en 1992. Médée y est présentée comme une barbare, au sens étymologique du terme (« qui ne parle pas grec »). Bohémienne, apatride, elle incarne « l'autre ». Cette pièce a été l'objet de deux mises en scène particulièrement innovantes. Réalisée par le théâtre de Mathieu à Montpellier en 2000, la première emploie des marionnettes à taille humaine, en s'inspirant du *bunraku*, théâtre traditionnel du Japon. La seconde est jouée par des acteurs africains, originaires du Burkina Faso : dans ce spectacle créé pour le théâtre des Amandiers de Nanterre, en 2003, Jean-Louis Martinelli a revêtu Médée d'un vêtement de Touareg, peuple nomade du désert du Sahara. Tout en rendant visible l'altérité du personnage, ce choix singulier fait entrer en résonance mythe grec et culture patriarcale africaine, et réinterroge le rapport de l'individu au groupe social.

Une autre version insiste d'une manière remarquable sur l'étrangeté et l'ambiguïté de Médée. *Médée Kali* (2003), pièce de l'auteur contemporain Laurent Gaudé (né en 1972), met en scène la mère infanticide après le meurtre de ses enfants. Refusant que ses fils soient inhumés en Grèce, elle entreprend de récupérer leurs corps pour les emporter dans son pays d'origine, l'Inde. Car, dans cette récriture de la légende, Médée est associée à la divinité hindoue Kali, déesse destructrice et créatrice à la fois, ainsi qu'à la Gorgone Méduse, créature dont le regard change les hommes en pierre.

Aussi les différentes lectures contemporaines de la légende de Médée au théâtre témoignent-elles de la richesse inépuisable de cette figure mythique. Dès la version d'Anouilh, la force de ce personnage réside dans son ambiguïté, qui invite à scruter d'un œil doublement attentif notre propre société.

CHRONOLOGIE

1910 1987
1910 1987

■ Repères historiques et culturels
■ Vie et œuvre de l'auteur

Repères historiques et culturels

1913	Apollinaire, *Alcools*. Proust, *Du côté de chez Swann*.
1914-1918	Première Guerre mondiale.
1917	Révolution russe : le régime impérial du czar est renversé en février, un régime communiste est instauré en octobre. Valéry, *La Jeune Parque*.
1918	Tzara, *Manifeste dada*.
1919	28 juin : traité de Versailles, qui met fin à la Première Guerre mondiale.
1921	Première représentation du ballet *Les Mariés de la tour Eiffel*, sur un livret de Cocteau.
1923	Colette, *Le Blé en herbe*. À Paris, première représentation de *Six Personnages en quête d'auteur*, de Pirandello.
1924	Eluard, *Mourir de ne pas mourir*. Breton, *Premier Manifeste du surréalisme*.
1925	Gide, *Les Faux-Monnayeurs*.
1926	Aragon, *Le Paysan de Paris*.
1927	Mauriac, *Thérèse Desqueyroux*.
1928	Breton, *Nadja*.
1929	Crise économique internationale, marquée par un krach boursier à Wall Street. Claudel, *Le Soulier de satin*. Giono, *Colline*.
1930	Breton, *Second Manifeste du surréalisme*.
1932	Céline, *Voyage au bout de la nuit*.

Vie et œuvre de l'auteur

1910   23 juin : naissance de Jean Anouilh à Bordeaux. Son père est tailleur, sa mère pianiste dans un orchestre, sur des scènes de casino en province.

1921   Anouilh vit à Paris, où il est scolarisé au lycée Chaptal. Il a déjà une passion : le théâtre.

1928   Anouilh lit Pirandello. Au printemps, il assiste à plusieurs représentations de *Siegfried* de Giraudoux, qui le marquent profondément.

1929   Anouilh travaille dans une agence de publicité où il fait la connaissance de Jacques Prévert.

1930   Anouilh devient le secrétaire de Louis Jouvet, directeur de la Comédie des Champs-Élysées. Leur relation ne tarde pas à se dégrader, conduisant à la rupture.

1932   *L'Hermine* au théâtre de l'Œuvre, mise en scène de Paulette Pax. Premier succès. Anouilh décide de vivre de ses écrits. Il épouse la comédienne Monelle Valentin. Ils auront une fille.

Repères historiques et culturels

1933	Hitler devient chancelier en Allemagne. Malraux, *La Condition humaine*. Manifeste d'Artaud, *Le Théâtre de la cruauté*.
1935	Giraudoux, *La guerre de Troie n'aura pas lieu*.
1936	Front populaire en France : coalition des partis de gauche qui arrive au pouvoir en juin 1936. Elle impose plusieurs réformes sociales.
1938	Sartre, *La Nausée*. Exposition internationale du surréalisme à Paris.
1939- 1945	Seconde Guerre mondiale.
1942	Aragon, *Les Yeux d'Elsa*. Camus, *L'Étranger*. Ponge, *Le Parti pris des choses*.
1944	Création de la pièce de théâtre *Huis clos* de Sartre.
1946- 1958	IVe République en France.
1946	Prévert, *Paroles*.
1946- 1954	Guerre d'Indochine.

Vie et œuvre de l'auteur

1933 *Mandarine*. Cette pièce est un échec.

1935 *Y avait un prisonnier*. Nouvel échec.

1937 *Le Voyageur sans bagage*, mise en scène de Georges Pitoëff, au théâtre des Mathurins. Grand succès. Anouilh devient célèbre.

1938 *La Sauvage*, mise en scène de Georges Pitoëff.
Le Bal des voleurs, mise en scène d'André Barsacq, au théâtre des Arts.

1940 *Léocadia*, mise en scène de Pierre Fresnay, au théâtre de la Michodière.

1941 *Eurydice*, première pièce d'Anouilh directement inspirée d'un mythe grec.
Le Rendez-vous de Senlis. Les deux pièces sont mises en scène par André Barsacq au théâtre de l'Atelier.

1942 Anouilh écrit *Antigone*.

1944 *Antigone*, mise en scène d'André Barsacq, au théâtre de l'Atelier. Une virulente polémique porte sur l'interprétation de la pièce (pour la Résistance ou pour le gouvernement de Vichy).

1946 *Roméo et Jeannette*, mise en scène d'André Barsacq, au théâtre de l'Atelier. Cette pièce marque le début de la collaboration entre Anouilh et l'acteur Michel Bouquet. Publication de *Médée* dans le recueil de pièces de théâtre *Nouvelles pièces noires*.

Repères historiques et culturels

1947 Création de la pièce de théâtre *La Cantatrice chauve* de Ionesco.

1951 Giono, *Le Hussard sur le toit*.
Gracq, *Le Rivage des Syrtes*.
Yourcenar, *Mémoires d'Hadrien*.

1952 Beckett publie *En attendant Godot*.

1953 Robbe-Grillet, *Les Gommes*.

1954-1962 Guerre d'Algérie.

1957 Butor, *La Modification*.

1958 Ve République en France.
Beauvoir, *Mémoires d'une jeune fille rangée*.
Duras, *Moderato cantabile*.

1959 Queneau, *Zazie dans le métro*.

1964 Sartre, *Les Mots*.

Vie et œuvre de l'auteur

1947   *L'Invitation au château*, mise en scène d'André Barsacq, au théâtre de l'Atelier.

1948   *Ardèle ou la Marguerite*, mise en scène de Roland Piétri, à la Comédie des Champs-Élysées.
Création de *Médée* à Hambourg, mise en scène de Robert Michael.

1950   *La Répétition ou l'Amour puni*, mise en scène de Jean-Louis Barrault, au théâtre Marigny.

1951   *Colombe*, mise en scène d'André Barsacq, au théâtre de l'Atelier.

1952   *La Valse des toréadors*, mise en scène de Roland Piétri, à la Comédie des Champs-Élysées.
L'Alouette, au théâtre Montparnasse.

1953   Anouilh salue le talent de Beckett, après avoir assisté à la création d'*En attendant Godot*.
Médée, mise en scène d'André Barsacq, au théâtre de l'Atelier.
Anouilh épouse la comédienne Nicole Lançon. Ils auront trois enfants.

1955   *Ornifle ou le Courant d'air*, à la Comédie des Champs-Élysées.

1958   *Pauvre Bitos ou le Dîner de têtes*, mise en scène de Roland Piétri, au théâtre Montparnasse.

1959   *Becket ou l'Honneur de Dieu*, au théâtre Montparnasse.
L'Hurluberlu ou le Réactionnaire amoureux, à la Comédie des Champs-Élysées. Les deux pièces sont mises en scène par Roland Piétri.
La Petite Molière, mise en scène de Jean-Louis Barrault, au Grand Théâtre de Bordeaux.

1961   *La Grotte*, mise en scène de Roland Piétri, au théâtre Montparnasse.

Repères historiques et culturels

1967	Tournier, *Vendredi ou les Limbes du Pacifique*.
1968	Événements de Mai 68. La contestation, d'abord étudiante, s'étend et aboutit à la grève générale qui paralyse le pays pendant un mois.
1969	De Gaulle quitte le pouvoir.
1970	Pompidou devient président de la République.
1974	Giscard d'Estaing devient président de la République.
1980	Le Clézio, *Désert*.
1981	Mitterrand devient président de la République.
1984	Duras, *L'Amant*.

Vie et œuvre de l'auteur

1968   *Le Boulanger, la boulangère et le petit mitron*, mise en scène de Roland Piétri, à la Comédie des Champs-Élysées.

1972   *Cher Antoine ou l'Amour raté*, mise en scène de Roland Piétri, à la Comédie des Champs-Élysées.
Tu étais si gentil quand tu étais petit, au théâtre Antoine, traitant le mythe d'Électre et d'Oreste.

1976   *Chers Zoiseaux*, à la Comédie des Champs-Élysées.

1978   Écriture d'*Œdipe ou le Roi boiteux*.

1981   *Le Nombril*, mise en scène de Roland Piétri, au théâtre de l'Atelier.

1986   Publication d'*Œdipe ou le Roi boiteux*.

1987   3 octobre : décès de Jean Anouilh à Lausanne (Suisse).

Vie et œuvre de l'auteur

Médée

PERSONNAGES

MÉDÉE
JASON
CRÉON
LA NOURRICE
LE GARÇON
LES GARDES

En scène, au lever du rideau, Médée et la Nourrice accroupies par terre
devant une roulotte.
Des musiques, des chants vagues au loin.
Elles écoutent.

5 MÉDÉE. – Tu l'entends ?

LA NOURRICE. – Quoi ?

MÉDÉE. – Le bonheur. Il rôde.

LA NOURRICE. – Ils chantent au village. C'est peut-être une fête
chez eux, aujourd'hui.

10 MÉDÉE. – Je hais leurs fêtes. Je hais leur joie.

LA NOURRICE. – On n'est pas d'ici.

Un silence.

Chez nous c'est plus tôt, en juin, la fête. Les filles se mettent
des fleurs dans les cheveux et les garçons se peignent la figure
15 en rouge avec leur sang et, au petit matin, après les premiers
sacrifices, on commence les combats. Qu'ils sont beaux les
gars de Colchide[1] quand ils se battent !

---

1. *Les gars de Colchide* : les habitants du royaume du père de Médée,
Aïétès. Il est situé au sud-est de la mer Noire et correspond aujourd'hui à
des régions de Géorgie et du nord-est de la Turquie. Avec son équipage, les
Argonautes, Jason était venu chercher dans ce pays la toison d'un bélier d'or
divin. Aïétès lui accorda la Toison d'or à condition de venir à bout de ces
épreuves : dompter des taureaux aux sabots d'airain et crachant du feu, semer
dans un champ les dents d'un dragon, desquelles jaillissaient des guerriers.

MÉDÉE. – Tais-toi.

LA NOURRICE. – Après, ils domptent les bêtes sauvages tout le
20   jour. Et le soir on allumait des grands feux devant le palais
de ton père[1], de grands feux jaunes avec des herbes qui sen-
taient fort. Tu l'as oubliée, toi, petite, l'odeur des herbes de
chez nous[2] ?

MÉDÉE. – Tais-toi. Tais-toi, bonne femme.

25 LA NOURRICE. – Ah, je suis vieille et c'est trop long la route...
Pourquoi, pourquoi est-on parties, Médée ?

MÉDÉE, crie. – On est parties parce que j'aimais Jason, parce que
j'avais volé pour lui mon père, parce que j'avais tué mon frère
pour lui[3] ! Tais-toi, bonne femme, tais-toi. Crois-tu que c'est
30   bon de toujours redire les choses ?

LA NOURRICE. – Tu avais un palais aux murs d'or et maintenant nous sommes là, accroupies comme deux mendiantes,
devant ce feu qui s'éteint toujours.

Grâce à l'aide de Médée, Jason sortit victorieux de ces épreuves, mais Aïétès
refusa de tenir parole. Le héros grec dut voler la Toison, aidé par Médée qui
endormit le dragon qui veillait sur le trésor.
1. Ton père : Aïétès (voir note précédente).
2. La mention des herbes semble faire allusion aux rites de sorcellerie prati-
qués par Médée. En effet, les légendes antiques la présentent comme une
magicienne de renom. Certaines généalogies en font même la nièce de
l'enchanteresse Circé (qui transforme les compagnons d'Ulysse en pour-
ceaux, au chant X de l'*Odyssée* d'Homère). C'est grâce à son art que Jason
a pu s'emparer de la Toison d'or. Les herbes aromatiques jouent un rôle
important dans les rites magiques de Médée (le poète latin Ovide mentionne
celles qui lui sont nécessaires dans le livre VII des *Métamorphoses*), et le
climat de la Colchide est propice à la pousse de nombreuses plantes.
3. Médée a aidé Jason à s'emparer de la Toison d'or que détenait son propre
père Aïétès (voir note 1, p. 49). Lorsque la flotte d'Aïétès poursuivait les
Argonautes, Médée a tué son propre frère, Apsyrtos, qu'elle avait pris en
otage, et jeté les morceaux de son corps dans la mer afin d'obliger leurs poursuivants à s'arrêter pour recueillir les membres dispersés.

MÉDÉE. – Va prendre du bois.

35   *La nourrice se lève en gémissant et s'éloigne.*

MÉDÉE, *crie soudain.* – Écoute !

                                        Elle se dresse.

C'est un pas sur la route.

LA NOURRICE, *écoute, puis dit.* – Non. C'est le vent.

40   *Médée s'est accroupie, à nouveau.*
                                Les chants reprennent au loin.

LA NOURRICE. – Ne l'attends plus, ma chatte, tu te ronges. Si
c'est vrai que c'est une fête, ils ont dû l'inviter là-bas. Il danse,
ton Jason, il danse avec les filles des Peslages[1] et nous
45   sommes là, toutes les deux.

MÉDÉE, *sourdement.* – Tais-toi, la vieille.

LA NOURRICE. – Je me tais.

                    Un silence, elle s'est mise à quatre pattes pour
                    souffler sur le feu. On entend la musique.

50 MÉDÉE, *soudain.* – Sens !

LA NOURRICE. – Quoi ?

MÉDÉE. – Cela pue le bonheur jusque sur cette lande[2]. Ils nous
ont pourtant parqués assez loin de leur village ! Ils avaient
peur que nous leur volions leurs poules, la nuit.

55   *Elle s'est dressée, elle crie.*

───────────────

1. *Peslages* (ou Pélasges) : anciens habitants de la Grèce. Leur nom est lié
au mot grec *pelagos* (« haute mer »). Après l'épisode de la Toison d'or, Médée
et Jason ont vécu un temps en Thessalie (centre de la Grèce), où la magicienne a causé la mort du roi Pélias. Banni de Thessalie, le couple s'est réfu-
gié à Corinthe, dont le roi Créon leur a accordé l'hospitalité.
2. *Lande* : terre inculte et souvent privée de relief.

Mais qu'est-ce qu'ils ont donc à chanter et à danser ? Est-ce que je chante, moi, est-ce que je danse ?

LA NOURRICE. – Ils sont chez eux, eux. Leur journée est finie.

Un temps, elle rêve.

60 Te rappelles-tu ? Le palais était blanc au bout de l'allée des cyprès quand on rentrait des longues promenades… Tu donnais ton cheval à l'esclave et tu te jetais sur les divans. Alors j'appelais tes filles[1] pour qu'elles te lavent et t'habillent. Tu étais la maîtresse et la fille du roi et rien n'était trop beau pour
65 toi. On tirait les robes des coffres et tu choisissais, calme et nue, pendant qu'elles te frottaient d'huile[2].

MÉDÉE. – Tais-toi, bonne femme, tu es trop bête. Crois-tu que je regrette un palais, des robes, des esclaves ?

LA NOURRICE. – Fuir, toujours fuir, depuis !

70 MÉDÉE. – Je pouvais fuir, toujours.

LA NOURRICE. – Chassées, battues, méprisées, sans pays, sans maison[3].

MÉDÉE. – Méprisée, chassée, battue, sans pays, sans maison, mais pas seule.

75 LA NOURRICE. – Et tu me traînes, à mon âge. Et si je meurs, où me laisseras-tu ?

MÉDÉE. – Dans un trou, n'importe où au bord d'un chemin, la vieille, et moi aussi, cela je l'ai accepté. Mais pas seule.

---

1. Filles : servantes.
2. Dans l'Antiquité grecque, les personnes aisées se faisaient appliquer des huiles parfumées et cosmétiques par leurs esclaves.
3. Cette réplique montre Médée et la Nourrice comme des exilées. Situation pénible dans toutes les cultures, l'exil est plus douloureux encore pour les Grecs de l'Antiquité, très attachés à leur cité.

LA NOURRICE. – Il t'abandonne, Médée.

80 MÉDÉE, *crie.* – Non!

Elle s'arrête.

Écoute.

LA NOURRICE. – C'est le vent. C'est la fête. Il ne rentrera pas, ce soir non plus.

85 MÉDÉE. – Mais quelle fête? Quel bonheur qui pue jusqu'ici leur sueur, leur gros vin, leur friture? Gens de Corinthe[1], qu'avez-vous à crier et à danser? Qu'est-ce qui se passe de si gai ce soir qui m'étreint[2], moi, qui m'étouffe?... Nourrice, nourrice, je suis grosse[3] ce soir. J'ai mal et j'ai peur comme 90 lorsque tu m'aidais à me tirer un petit de mon ventre... Aide-moi, nourrice! Quelque chose bouge dans moi comme autrefois et c'est quelque chose qui dit non à leur joie à eux là-bas, c'est quelque chose qui dit non au bonheur.

Elle se serre contre la vieille, tremblante.

95 Nourrice, si je crie tu mettras ton poing sur ma bouche, si je me débats tu me tiendras, n'est-ce pas? Tu ne me laisseras pas souffrir seule... Ah! tiens-moi, nourrice, tiens-moi de toutes tes forces. Tiens-moi comme lorsque j'étais petite, comme le soir où j'ai failli mourir en enfantant. J'ai quelque 100 chose à mettre au monde encore cette nuit, quelque chose de plus gros, de plus vivant que moi et je ne sais pas si je vais être assez forte...

UN GARÇON, *entre soudain et s'arrête.* – C'est vous, Médée?

MÉDÉE, *lui crie.* – Oui! Dis vite! Je sais!

---

1. Corinthe : cité grecque, située dans le nord-est du Péloponnèse.
2. Étreint : serre fortement.
3. Je suis grosse : je suis enceinte.

105 LE GARÇON. – C'est Jason qui m'envoie.

MÉDÉE. – Il ne rentrera pas? Il est blessé, mort?

LE GARÇON. – Il vous fait dire que vous êtes sauvée.

MÉDÉE. – Il ne rentrera pas?

LE GARÇON. – Il vous fait dire qu'il viendra, qu'il faut
110   l'attendre.

MÉDÉE. – Il ne rentrera pas? Où est-il?

LE GARÇON. – Chez le roi. Chez Créon[1].

MÉDÉE. – Emprisonné?

LE GARÇON. – Non.

115 MÉDÉE, *crie encore*. – Si! C'est pour lui cette fête? Parle! Tu vois
   bien que je sais. C'est pour lui?

LE GARÇON. – Oui. C'est pour lui.

MÉDÉE. – Qu'a-t-il donc fait? Allons, dis vite. Tu as couru, tu es
   tout rouge, il te tarde d'y retourner. On danse, n'est-ce pas?

120 LE GARÇON. – Oui.

MÉDÉE. – Et on boit?

LE GARÇON. – Six barriques[2] ouvertes devant le palais!

MÉDÉE. – Et les jeux, et les pétards, et les fusils qui partent tous
   ensemble vers le ciel. Vite, vite, petit, et tu auras joué ton rôle,
125   tu pourras retourner là-bas et t'amuser. Tu ne me connais
   pas. Qu'est-ce que cela peut te faire ce que tu vas me dire?
   Pourquoi mon visage te fait-il peur? Tu veux que je sourie?

---

1. Créon : roi de Corinthe, à ne pas confondre avec Créon, roi de Thèbes,
personnage d'*Antigone* et d'*Œdipe ou le Roi boiteux* d'Anouilh.
2. Barriques : grands tonneaux.

Voilà, je souris. D'ailleurs, c'est plutôt une bonne nouvelle puisqu'on danse. Vite, petit, puisque je sais !

130 LE GARÇON. – Il épouse Créuse, la fille de Créon. C'est demain matin la noce[1].

MÉDÉE. – Merci, petit ! Va danser maintenant avec les filles de Corinthe. Danse de toutes tes forces, danse toute la nuit. Et quand tu seras vieux, rappelle-toi que c'est toi qui es venu
135 dire à Médée.

LE GARÇON, *fait un pas*. – Qu'est-ce qu'il faudra lui dire ?

MÉDÉE. – À qui ?

LE GARÇON. – À Jason.

MÉDÉE. – Dis-lui que je t'ai dit merci !

140   *Le garçon s'en va.*

MÉDÉE, *crie soudain*. – Merci, Jason ! Merci, Créon ! Merci la nuit ! Merci tous ! Comme c'était simple, je suis délivrée…

LA NOURRICE, *s'approche*. – Mon aigle fière[2], mon petit vautour…

145 MÉDÉE. – Laisse, femme ! Je n'ai plus besoin de tes mains. Mon enfant est venu tout seul. Et c'est une fille, cette fois. Ô ma haine ! Comme tu es neuve… Comme tu es douce, comme tu sens bon ! Petite fille noire, voilà que je n'ai plus que toi au monde à aimer.

150 LA NOURRICE. – Viens, Médée…

---

1. *La noce* : le mariage.
2. « Fière » est au féminin car la Nourrice compare Médée à une femelle aigle. Ce choix est révélateur dans un contexte où homme et femme sont en conflit, y compris en la personne de Médée elle-même.

MÉDÉE, *est debout toute droite, les bras serrés sur sa poitrine.* – Laisse-moi. J'écoute.

LA NOURRICE. – Laisse leur musique. Rentrons.

MÉDÉE. – Je ne l'entends plus. J'écoute ma haine... Ô douceur! Ô force perdue!... Qu'avait-il fait de moi, nourrice, avec ses grandes mains chaudes? Il a suffi qu'il entre au palais de mon père et qu'il en pose une sur moi. Dix ans sont passés et la main de Jason me lâche. Je me retrouve. Ai-je rêvé? c'est moi. C'est Médée! Ce n'est plus cette femme attachée à l'odeur d'un homme, cette chienne couchée qui attend. Honte! Honte! Mes joues me brûlent, nourrice. Je l'attendais tout le jour, les jambes ouvertes, amputée... Humblement, ce morceau de moi qu'il pouvait donner et reprendre, ce milieu de mon ventre, qui était à lui... Il fallait bien que je lui obéisse et que je lui sourie et que je me pare pour lui plaire puisqu'il me quittait chaque matin m'emportant, trop heureuse qu'il revienne le soir et me rende à moi-même. Il fallait bien que je la lui donne cette toison du bélier d'or[1] s'il la voulait, et tous les secrets de mon père et que je tue mon frère pour lui et que je le suive après dans sa fuite, criminelle et pauvre avec lui. J'ai fait tout ce qu'il fallait, voilà tout, et j'aurais pu faire davantage. Tu le sais tout cela, bonne femme, tu as aimé, toi aussi.

LA NOURRICE. – Oui, ma louve[2].

MÉDÉE, *crie.* – Amputée!... Ô soleil, si c'est vrai que je viens de toi[3], pourquoi m'as-tu faite amputée? Pourquoi m'as-tu faite

---

1. Toison du bélier d'or : la Toison d'or, objet de la quête de Jason et des Argonautes. Voir note 1, p. 49.

2. Allusion possible à l'étymologie de «louve», le latin *lupa*, qui a deux sens : «louve» et «prostituée», à mettre en relation avec le dernier mot de la réplique de Médée, «putain». La louve est aussi liée au mythe des jumeaux Romulus et Remus, qu'elle allaite quand ils sont abandonnés. Médée est donc associée à un animal ambigu, carnassier et maternel à la fois.

3. Médée est la petite-fille du dieu Hélios (le Soleil), père d'Aïétès. On retrouve dans *Médée* d'Euripide une allusion directe à cette filiation, quand la jeune femme se dit : «Faut-il donc qu'on te voie livrée à la risée par Jason

une fille ? Pourquoi ces seins, cette faiblesse, cette plaie
ouverte au milieu de moi ? N'aurait-il pas été beau le garçon
Médée ? N'aurait-il pas été fort ? Le corps dur comme la
pierre, fait pour prendre et partir après, ferme, intact, entier,
180 lui ! Ah ! il aurait pu venir, alors, Jason, avec ses grandes
mains redoutables, il aurait pu tenter de les poser sur moi !
Un couteau, chacun dans la sienne – oui ! – et le plus fort tue
l'autre et s'en va délivré. Pas cette lutte où je ne voulais que
toucher les épaules, cette blessure que j'implorais. Femme !
185 Femme ! Chienne ! Chair faite d'un peu de boue et d'une côte
d'homme ! Morceau d'homme[1] ! Putain !

LA NOURRICE, *l'embrasse.* – Pas toi, pas toi, Médée !

MÉDÉE. – Moi comme les autres !... Plus lâche et plus béante
que les autres. Dix ans[2] ! Mais c'est fini ce soir, nourrice, je
190 suis redevenue Médée. Comme c'est bon !

LA NOURRICE. – Calme-toi, Médée.

MÉDÉE. – Je me calme, je suis douce. Tu entends comme je suis
douce, nourrice, comme je parle doucement. Je meurs. Je tue
tout doucement dans moi. J'étrangle.

195 LA NOURRICE. – Viens. Tu me fais peur, rentrons.

MÉDÉE. – Moi aussi, j'ai peur.

[...], toi qui as eu pour père un homme généreux, pour aïeul le Soleil ? » (Euripide, *Médée*, in *Les Tragiques grecs*, trad. V.-H. Debidour, Éditions de Fallois,
coll. « La Pochothèque », p. 827).
1. Allusion à la Genèse (2, 21-23), où la femme est créée à partir d'une côte
de l'homme.
2. Anouilh semble être le seul auteur à préciser que la relation de Médée et
de Jason a duré dix ans. Ce chiffre fait allusion à d'autres cycles de dix années
de la mythologie grecque : la guerre de Troie, le retour d'Ulysse de Troie à
Ithaque. L'issue de la décennie est souvent marquée par un événement
mémorable, comme la mise à sac de Troie ou le massacre des prétendants de
Pénélope, l'épouse d'Ulysse.

LA NOURRICE. – Qu'est-ce qu'ils vont faire de nous maintenant?

MÉDÉE. – Quelle question! Ce qu'il faut se demander, c'est ce
200 que nous allons faire d'eux, la vieille! J'ai peur aussi, mais pas de leur musique, de leurs cris, de leur roi pouilleux[1], de leurs ordres – de moi! Jason, tu l'avais endormie et voilà que Médée s'éveille! Haine! Haine! grande vague bienfaisante, tu me laves et je renais.

205 LA NOURRICE. – Ils vont nous chasser, Médée.

MÉDÉE. – Peut-être.

LA NOURRICE. – Où irons-nous?

MÉDÉE. – Il y aura toujours un pays pour nous, bonne femme, de ce côté de la vie ou de l'autre, un pays où Médée sera
210 reine. Ô mon noir royaume, tu m'es rendu!

LA NOURRICE, *gémit*. – Il va falloir tout emballer encore.

MÉDÉE. – On emballera, la vieille, après!

LA NOURRICE. – Après quoi?

MÉDÉE. – Tu le demandes?

215 LA NOURRICE. – Qu'est-ce que tu veux faire, Médée?

MÉDÉE. – Ce que j'ai fait pour lui quand j'ai trahi mon père, quand j'ai dû tuer mon frère pour fuir, ce que j'ai fait au vieux Pélias[2] quand j'ai essayé que Jason devienne le roi de son

---

1. *Pouilleux* : misérable, pauvre.
2. *Pélias* : usurpateur du trône d'Iolcos, cité de Thessalie, qui envoya Jason chercher la Toison d'or, pour l'écarter du pouvoir (voir présentation, p. 16). Lorsque Pélias fut âgé, Médée se rendit auprès des filles du monarque et se prétendit capable de le rajeunir. Pour le prouver, elle découpa un bélier, le fit bouillir dans un chaudron avec des herbes magiques et obtint un agneau. Elle convainquit les princesses d'égorger et de découper leur père pour le plonger dans une marmite. Mais Médée ne jeta pas les herbes magiques dans le chaudron, et Pélias mourut ainsi de la main de ses filles.

île[1], ce que j'ai fait dix fois pour lui, mais pour moi cette
220 fois, enfin!

LA NOURRICE. – Tu es folle, tu ne peux pas.

MÉDÉE. – Qu'est-ce que je ne peux pas, bonne femme? Je suis
Médée, toute seule, abandonnée devant cette roulotte; au
bord de cette mer étrangère[2], chassée, honnie, haïe, mais rien
225 n'est trop pour moi!

> *La musique est plus forte au loin,*
> *Médée crie plus fort qu'elle.*

Qu'ils le chantent, qu'ils le chantent vite, leur chant d'hyménée[3]! Qu'ils la parent vite, la fiancée, dans son palais. C'est
230 long demain jusqu'à la noce... Ah! Jason, tu me connais
pourtant, tu sais quelle vierge tu as prise en Colchide. Qu'est-
ce que tu as pu croire? Que j'allais me mettre à pleurer? Je
t'ai suivi dans le sang et dans le crime, il va me falloir du sang
et un crime pour te quitter[4].

235 LA NOURRICE, *se jette contre elle*. – Tais-toi, tais-toi, je t'en supplie! Enfouis tes plaintes au fond de ton cœur, enfouis ta
haine. Supporte. Ce soir, ils sont plus forts que nous!

MÉDÉE. – Qu'est-ce que cela peut bien faire, nourrice?

LA NOURRICE. – Tu te vengeras, ma louve, tu te vengeras, mon
240 vautour. Tu leur feras du mal un jour, toi aussi. Mais nous ne
sommes rien, ici. Deux étrangères dans leur roulotte avec leur

---

1. *De son île* : d'Iolcos (qui, cependant, n'est pas une île, mais une cité
portuaire).
2. Corinthe est située entre le golfe de Corinthe, donnant sur la mer Ionienne
(à l'ouest), et le golfe Saronique, donnant sur la mer Égée (à l'est).
3. *Hyménée* : mariage.
4. Médée se conforme à la loi du talion, exprimée par l'expression «œil pour
œil, dent pour dent». La logique est la même dans *Médée* d'Euripide (éd.
citée, p. 51), où Médée dit à Jason : «En te broyant le cœur, j'ai fait ce que
je devais : rendre coup pour coup.»

vieux cheval ; deux voleuses de basse-cour à qui les enfants jettent des pierres. Attends un jour, attends un an, bientôt tu seras la plus forte.

245 MÉDÉE. – Plus forte que ce soir ? Jamais.

LA NOURRICE. – Mais que peux-tu dans cette île ennemie[1] ? Colchos[2] est loin et de Colchos même tu es chassée. Et Jason nous laisse aussi maintenant. Que te reste-t-il donc ?

MÉDÉE. – Moi !

250 LA NOURRICE. – Pauvre ! Créon est roi et ils ne nous ont tolérées que parce qu'il l'a voulu, sur cette lande. Qu'il dise un mot, qu'il leur permette et ils sont tous ici avec leurs couteaux et les bâtons. Ils nous tueront.

MÉDÉE, *doucement*. – Ils nous tueront. Mais trop tard.

255 LA NOURRICE, *se jette à ses pieds*. – Médée, je suis vieille, je ne veux pas mourir ! Je t'ai suivie, j'ai tout laissé pour toi. Mais la terre est encore pleine de bonnes choses, le soleil sur le banc à la halte[3], la soupe chaude à midi, les petites pièces qu'on a gagnées dans sa main, la goutte[4] qui fait chaud au 260 cœur avant de dormir.

MÉDÉE, *la repousse du pied, méprisante*. – Carcasse ! Moi aussi, hier, j'aurais voulu vivre, mais ce n'est plus de vivre ou de mourir maintenant qu'il s'agit.

LA NOURRICE, *accrochée à ses jambes*[5]. – Je veux vivre, Médée !

---

1. *Cette île ennemie* : le Péloponnèse, péninsule du sud de la Grèce. Son nom signifie «île de Pélops», personnage de la mythologie grecque.
2. *Colchos* : la Colchide.
3. *Halte* : pause.
4. *Goutte* : petite quantité de boisson alcoolisée (liqueurs, alcools forts).
5. En Grèce antique, on tenait dans ses bras les genoux de la personne à implorer. Il était aussi courant de lui toucher le menton. Ces gestes au poids symbolique très fort font d'une simple demande une supplique officielle.

265 MÉDÉE. – Je sais, vous voulez tous vivre. C'est parce que Jason veut vivre aussi qu'il part.

LA NOURRICE, *ignoble soudain.* – Tu ne l'aimes plus, Médée. Tu ne le désires plus depuis longtemps. On sait tout, tassés dans cette roulotte. Le premier, il t'a dit qu'il avait trop chaud un
270 soir, qu'il voulait mettre sa paillasse[1] dehors. Tu l'as laissé et je t'ai entendue soupirer d'aise en te détendant, ce soir-là, d'avoir le lit pour toi toute seule. On tue pour un homme qui vous prend encore, pas pour un homme qu'on laisse sortir la nuit de son lit.

275 MÉDÉE, *l'a prise par le col, elle la relève brutalement à la hauteur de son visage.* – Attention, femme! Tu en sais trop, tu en dis trop. J'ai sucé ton lait, bon, et j'ai toléré tes jérémiades[2]. Mais ce n'est pas de lait, tu le sais, que Médée a grandi. Je ne te dois pas plus qu'à la chèvre que j'aurais pu sucer au lieu de
280 toi[3]. Alors écoute : tu m'en as trop dit avec ta carcasse, et ta goutte, et ton soleil sur ta viande pourrie[4]... À ta vaisselle, vieille, à ton balai, à tes épluchures, avec les autres de ta race. Le jeu que nous jouons n'est pas pour vous. Et si vous y crevez aussi, par mégarde et sans comprendre, c'est bien
285 dommage, mais c'est tout!

> *Elle la rejette brutalement par terre.*
> *À ce moment la vieille crie.*

LA NOURRICE. – Attention, Médée, on vient!

> *Médée se retourne, Créon est devant elle, entouré*
290 *de deux ou trois hommes.*

CRÉON. – C'est toi, Médée?

------

1. *Sa paillasse* : son matelas servant de lit rudimentaire.
2. *Jérémiades* : plaintes.
3. Allusion à la légende du dieu grec Zeus, nourri par la chèvre Amalthée.
4. Écho au surnom que la nourrice donne à Médée, «mon vautour».

MÉDÉE. – Oui.

CRÉON. – Je suis Créon, le roi de ce village.

MÉDÉE. – Salut.

295 CRÉON. – Ton histoire est venue jusqu'à moi. Tes crimes sont connus ici. Le soir, comme dans toutes les îles de cette côte, les femmes les racontent aux enfants pour leur faire peur. Je t'ai tolérée quelques jours sur cette lande avec ta roulotte ; maintenant, tu vas devoir partir.

300 MÉDÉE. – Qu'ai-je fait aux gens de Corinthe ? Ai-je pillé leur basse-cour ? Leurs bêtes sont-elles malades ? Ai-je empoisonné leurs fontaines en allant y puiser l'eau de mes repas[1] ?

CRÉON. – Rien encore, non. Mais tout cela tu peux le faire un jour. Va-t'en.

305 MÉDÉE. – Créon, mon père aussi est roi.

CRÉON. – Je le sais. Va à Colchos te plaindre.

MÉDÉE. – Soit, j'y retourne. Je n'effrayerai pas plus longtemps les matrones[2] de ton village, mon cheval ne te volera pas plus longtemps l'herbe rare de ta lande. Je retourne à Colchos,
310 mais que celui qui m'en a emmenée m'y ramène.

CRÉON. – Que veux-tu dire ?

MÉDÉE. – Rends-moi Jason.

CRÉON. – Jason est mon hôte[3], fils d'un roi qui fut mon ami[4], et il est libre de ses actes.

---

1. Allusion aux pratiques magiques traditionnellement attribuées aux sorcières dans l'Antiquité. L'empoisonnement de sources d'eau était une méthode de nuisance classique.
2. *Matrones* : femmes mariées.
3. L'hospitalité est au cœur de la pensée grecque : on considérait que chaque hôte pouvait être un dieu caché sous les traits d'un homme.
4. Jason est le fils du roi Éson de Thessalie, détrôné par Pélias.

315 MÉDÉE. – Que chante-t-on dans ton village ? Pourquoi ces coups de feu au ciel, ces danses, ce vin distribué ? Si c'est la dernière nuit qu'ils me donnent ici, pourquoi m'empêchent-ils de dormir, tes honnêtes Corinthiens ?

CRÉON. – Je suis venu te dire cela aussi. On fête ce soir les noces
320 de ma fille. Jason doit l'épouser demain.

MÉDÉE. – Longue vie, long bonheur à tous deux !

CRÉON. – Ils se passeront de tes vœux.

MÉDÉE. – Pourquoi les refuser, Créon ? Invite-moi aussi à la noce. Présente-moi à ta fille. Je peux lui être utile, sais-tu ?
325 Depuis dix ans que je suis la femme de Jason, j'en ai long à lui apprendre, à elle qui ne le connaît que depuis dix jours.

CRÉON. – C'est pour que cette scène n'ait pas lieu que j'ai décidé que tu quitterais Corinthe cette nuit. Attelle[1], fais tes paquets, tu as une heure pour avoir franchi la frontière. Ces
330 hommes te conduiront.

MÉDÉE. – Et si je refuse de bouger ?

CRÉON. – Les fils du vieux Pélias que tu as assassiné ont demandé ta tête à tous les rois de cette côte. Si tu restes, je te livre à eux.

335 MÉDÉE. – Ils sont tes voisins. Ils sont forts. Entre rois on se rend de ces services. Pourquoi ne le fais-tu pas tout de suite ?

CRÉON. – Jason m'a demandé de te laisser partir.

MÉDÉE. – Bon Jason ! Il faut que je lui dise merci, n'est-ce pas ? Tu me vois torturée par les Thessaliens[2] le jour même de ses

---

1. Attelle : attache tes chevaux à ta roulotte, pour partir.
2. Thessaliens : habitants de la Thessalie, région de Grèce continentale, où se trouve Iolcos, le royaume du défunt Pélias.

340 noces ? Tu me vois au procès, à quelques lieues[1] de Corinthe, disant à haute voix pour qui j'ai fait tuer Pélias ? Pour le gendre[2], honnêtes juges, pour le gendre honoré de ce bon roi voisin avec lequel vous entretenez les meilleures relations possibles… Tu fais bien légèrement ton métier de roi, Créon !
345 J'ai eu le temps d'apprendre au palais de mon père que ce n'est pas ainsi qu'on gouverne. Fais-moi tuer tout de suite.

CRÉON, *sourdement*. – Je le devrais, oui. Mais j'ai promis de te laisser partir. Tu as une heure.

MÉDÉE, *se plante en face de lui*. – Créon, tu es vieux. Tu es roi
350 depuis longtemps. Tu as assez vu d'hommes et d'esclaves. Tu as assez fait d'ignoble cuisine. Regarde-moi dans les yeux et reconnais-moi. Je suis Médée. La fille d'Éatès[3] qui en a fait égorger d'autres, quand il le fallait, et de plus innocents que moi, je te l'assure. Je suis de ta race. De la race de ceux qui
355 jugent et qui décident, sans revenir après et sans remords. Tu n'agis pas en roi, Créon. Si tu veux donner Jason à ta fille, fais-moi tuer tout de suite avec la vieille et les enfants qui dorment là et le cheval. Brûle tout ça sur cette lande avec deux hommes sûrs et disperse les cendres après. Qu'il ne
360 reste de Médée qu'une grande tache noire sur cette herbe et un conte pour faire peur aux enfants de Corinthe le soir.

CRÉON. – Pourquoi veux-tu mourir ?

MÉDÉE. – Pourquoi veux-tu que je vive maintenant ? Ni toi, ni moi, ni Jason n'ont intérêt à ce que je sois encore vivante
365 dans une heure, tu le sais bien.

---

1. Lieues : unités de mesure : une lieue équivaut à une distance comprise entre 3 et 5 kilomètres, selon les époques et les pays.
2. Gendre : mari de la fille. Jason va devenir le gendre de Créon.
3. Éatès : variante du nom porté par le père de Médée, Aïétès, Aétès ou encore Éétès.

Anouilh, auteur d'un théâtre antique contemporain

L'Antiquité a inspiré plusieurs des pièces de théâtre de Jean Anouilh, notamment son œuvre la plus célèbre, *Antigone* (1944).
Le dramaturge français réussit à traiter ces thèmes classiques d'une manière moderne, qui nous pousse, aujourd'hui encore, à questionner la société contemporaine.

◄ Jean Anouilh en 1948, à la Comédie des Champs-Élysées.

© Studio Lipnitzki / Roger-Viollet

► Affiche de la première création en France de *Médée* (en 1953), mise en scène par André Barsacq au théâtre de l'Atelier.

THÉÂTRE DE L'ATELIER

ANDRÉ   BARSACQ
PLACE DANCOURT   MÉTRO ABBESSES
TÉL MON 49 24   ANVERS PIGALLE

MÉDÉE
de JEAN ANOUILH
Mise en scène : ANDRÉ BARSACQ
Décors et costumes : ANDRÉ BAKST

MICHÈLE ALFA . MADY BERRY . LUCIEN BLONDEAU
PIERRE GOUTAS . JEAN SERVAIS
et

ZAMORE
Pièce de : GEORGES NEVEUX
Mise en scène : ANDRÉ BARSACQ
AVEC PAR ORDRE D'ENTRÉE EN SCÈNE

ANDRÉ VERSINI . MADY BERRY . CAROLINE CLER
YVES ROBERT . LUCIEN BLONDEAU . HENRY DJANIK
CAMILLE GUÉRINI . EDMOND TAMIZ . PAUL BARGE
TOUS LES SOIRS (SAUF LUNDI) DIMANCHE : MATINÉE

© Bibliothèque historique de la Ville de Paris, Fonds de l'Association de la Régie théâtrale. Photo © Vincent Parot

Les mises en scène de *Médée*, une modernité de plus en plus marquée d'audace

En choisissant comme cadre une lande où se trouve une roulotte, Jean Anouilh rompt avec le décor classique des pièces à sujet antique. Dans cette lignée, les mises en scène de *Médée* montrent généralement un décor délabré, pauvre et nu. André Barsacq place ainsi une roue de charrette à l'arrière de la scène. Si, chez Chollat, le plateau ressemble à un camp gitan organisé autour d'une caravane, le décor se mue en décharge dans la mise en scène de la compagnie Rhinocéros, plus audacieuse encore. L'incendie de la caravane à la fin de la pièce devient chez Chollat le point d'orgue poignant de la représentation, image-choc rendant toute la tension qui parcourt le texte d'Anouilh.

▲ Mise en scène d'André Barsacq, Théâtre de l'Atelier, 1953, avec Michèle Alfa.
La roue de charrette, qui évoque la roulotte, sera remplacée dans des mises en scène plus récentes par des éléments dessinant les contours d'un camp de fortune.

▲ Mise en scène de Ladislas Chollat, Vingtième Théâtre, 2009,
avec Élodie Navarre dans le rôle de Médée.

▲ Mise en scène de Jean-Gabriel Vidal pour la compagnie Rhinocéros,
théâtre municipal de Béziers, avec Ariane Komorn dans le rôle de Médée.

Les costumes, porteurs d'un sens profond

Le choix des costumes dans la mise en scène de *Médée* est primordial. Il n'est jamais anodin et s'impose aux spectateurs durant toute la pièce. Le costume de théâtre est directement lié à la construction du personnage et à l'image qu'il renvoie au public.

▲ Mise en scène de Ladislas Chollat, Vingtième Théâtre, 2009, avec Élodie Navarre dans le rôle de Médée et Gildas Bourdet dans le rôle de Créon.
Chez Ladislas Chollat, Médée porte une peau de bête et son corps est tatoué de représentations de type « tribal ». Créon, qui lui fait face, est vêtu d'un costume rayé, d'une cravate blanche et d'un manteau blanc. Dans un tel choix se cristallise l'opposition de deux visions du monde.

▲ Mise en scène de Jean-Gabriel Vidal pour la compagnie Rhinocéros,
avec Ariane Komorn dans le rôle de Médée.
La compagnie Rhinocéros montre une Médée couverte d'une tunique d'un « blanc sale »,
soulignant le rapport complexe que le personnage entretient avec la virginité et la souillure.

▲ Mise en scène de Jean-Gabriel Vidal pour la compagnie Rhinocéros, avec Ariane Komorn
dans le rôle de Médée et Jean-Gabriel Vidal dans le rôle de Jason.

Médée la magicienne,
une facette du personnage ignorée par Anouilh

Alors qu'une partie de la tradition gréco-romaine présente Médée comme une sorcière, Anouilh ne met guère en évidence les pouvoirs magiques du personnage. En revanche, les représentations artistiques de Médée ont souvent insisté sur cet aspect et l'ont montrée tenant une fiole ou un coffret contenant l'une de ses potions. Il est intéressant de noter la récurrence de ce type d'images de Médée dans l'Antiquité. Le vase et le bas-relief ci-dessous font de Médée une experte en arts occultes, tantôt montée sur un char de dragons (comme chez Corneille), tantôt portant ses préparations dans des boîtes secrètes.

Collection particulière

▶ Médée s'envolant loin de Corinthe, sur un char tiré par des dragons-serpents, vase grec, v. 400 av. J.-C., Cleveland, Ohio, Museum of Art.

© age fotostock / SuperStock

▶ Bas-relief représentant Médée et les filles de Pélias, avant qu'elles ne tuent ce dernier, copie romaine d'un original grec de 420-410 av. J.-C., Berlin, musée de Pergame.

▲ Val Prinsep, *Medea the Sorceress*, 1880, Southwark Art Collection.

Médée, personnage d'opéra

Le mythe de Médée est si riche qu'il ne se limite pas aux seules sphères de la littérature, de la peinture ou de la sculpture. Il est aussi au cœur de deux opéras, l'un de Marc Antoine Charpentier (1693) et l'autre de Luigi Cherubini (1797). Ces œuvres ont récemment donné lieu à des créations originales : dans son interprétation de l'opéra de Charpentier, le metteur en scène Pierre Audi n'a pas hésité à faire déambuler Médée dans un paysage de bouches gigantesques. Quant à la création de l'œuvre de Cherubini par Krzysztof Warlikowski, elle donne à Médée l'allure de la sulfureuse chanteuse Amy Winehouse (1983-2011). Une telle mise en scène joue avec le côté baroque du personnage, déjà exploité par Corneille.

▶ Marc-Antoine Charpentier, *Médée*, tragédie lyrique, mise en scène par Pierre Audi sur une scénographie de Jonathan Meese, Théâtre des Champs-Élysées, 2012, avec Michèle Losier dans le rôle de Médée.

© Frédéric Iovino / ArtComArt

© Vincent Pontet / WikiSpectacle

Création Studio Flammarion

◀ Cherubini, *Medea*, mise en scène par Krzysztof Warlikowski, Théâtre des Champs-Élysées, 2012, avec la soprano Nadia Michael dans le rôle de Médée.

CRÉON, *a un geste, il dit soudain sourdement.* – Je n'aime plus le sang.

MÉDÉE, *lui crie.* – Alors, tu es trop vieux pour être roi ! Mets ton fils à ta place, qu'il fasse le travail comme il faut et va soigner
370 tes vignes au soleil. Tu n'es plus bon qu'à ça !

CRÉON. – Orgueilleuse ! Furie[1] ! Crois-tu que c'est pour avoir tes conseils que je suis venu te trouver ?

MÉDÉE. – Tu n'es pas venu les chercher, mais je te les donne ! C'est mon droit. Et le tien est de me faire taire, si tu en as la
375 force. C'est tout.

CRÉON. – J'ai promis à Jason que tu partirais sans mal.

MÉDÉE, *ricane.* – Sans mal ! Je ne partirai pas sans mal, comme tu dis. Cela serait trop beau que je n'aie pas mal par-dessus le marché ! Que je m'efface, que je m'anéantisse. Une ombre,
380 un souvenir, une erreur regrettable, cette Médée traînée dix ans. C'est un rêve de Jason tout cela ! Il peut m'escamoter[2], se cacher au milieu de tes gardes dans ton palais, s'enfouir dans l'innocence de ta fille et devenir roi de Corinthe à ta mort, il sait que son nom et le mien sont liés ensemble pour
385 les siècles. Jason-Médée ! Cela ne se séparera plus. Chasse-moi, tue-moi, c'est pareil. Avec lui ta fille m'épouse que tu le veuilles ou non, tu m'acceptes avec lui.

Elle lui crie.

Créon, sois roi ! Fais ce qu'il faut. Chasse Jason. Mes crimes,
390 il en a la moitié, les mains qui vont toucher la peau de ta fille

---

1. *Furie* : femme furieuse, démente. À l'origine, les trois Furies étaient des divinités infernales qui exécutaient les vengeances décidées par les dieux. Le terme oscille ici entre son sens mythologique et son sens dérivé.
2. *Escamoter* : cacher, dissimuler avec habileté.

sont rouges du même sang[1]. Donne-nous une heure, moins d'une heure à nous deux. Nous avons l'habitude de fuir après chacun de nos coups, ensemble. C'est vite fait, je te l'assure, les paquets.

395 CRÉON. – Non. Pars seule.

MÉDÉE, *doucement soudain*. – Créon. Je ne veux pas te supplier. Je ne peux pas. Mes genoux ne peuvent pas plier, ma voix ne veut pas se faire humble. Mais tu es humain puisque tu n'as pas su te résoudre à ma mort. Ne me laisse pas partir seule.
400 Rends à l'exilée son navire, rends-lui son compagnon ! Je n'étais pas seule quand je suis venue. Pourquoi distinguer maintenant entre nous ? C'est pour Jason que j'ai tué Pélias, trahi mon père et massacré mon frère innocent dans ma fuite. Je suis à lui, je suis sa femme et chacun de mes crimes est à
405 lui.

CRÉON. – Tu mens. J'ai tout examiné. Jason est innocent sans toi, séparée de la tienne, sa cause est défendable, toi seule t'es salie... Jason est de chez nous, le fils d'un de nos rois, sa jeunesse, comme bien d'autres, a peut-être été folle, c'est un
410 homme à présent qui pense comme nous. Toi seule viens de loin, toi seule es étrangère ici avec tes maléfices et ta haine. Retourne vers ton Caucase[2], trouve un homme parmi ta race, un barbare[3] comme toi ; et laisse-nous sous ce ciel de raison,

---

1. Allusion à l'idée grecque de souillure (*miasma*) : un meurtre, un assassinat sont à l'origine d'une souillure portée par le coupable. Mais cette souillure peut aussi atteindre la cité dans son ensemble. On procède alors à des rites de purification, pouvant conduire à l'exil de ceux considérés comme souillés.
2. *Caucase* : chaîne de montagnes qui borde la Colchide.
3. Les Grecs qualifient de barbare tout individu qui ne parle pas grec. Le terme n'est pas négatif à l'origine. Il est formé à partir d'une onomatopée qui cherche à imiter les langues étrangères, incompréhensibles pour un Grec, et dont il ne distingue que quelques borborygmes. Anouilh joue ici sur le sens premier et le sens actuel du mot.

au bord de cette mer égale, qui n'a que faire de ta passion
415   désordonnée et de tes cris.

MÉDÉE, *après un temps*. – C'est bien, je partirai. Mais, mes
enfants, quelle est leur race ? celle du crime ou celle de Jason ?

CRÉON. – Jason a pensé qu'ils ne pouvaient qu'embarrasser ta
fuite. Laisse-les-nous. Ils grandiront dans mon palais. Je te
420   promets ma protection pour eux.

MÉDÉE, *doucement*. – Je dois dire merci, encore, n'est-ce pas ?
Vous êtes humains, en plus, vous êtes justes, tous, et sans
haine.

CRÉON. – Garde ton merci. Pars. L'heure déjà s'écoule et quand
425   la lune sera en haut du ciel rien ne te protégera plus ici.
L'ordre est donné.

MÉDÉE. – Quoique barbare, quoique étrangère et si rude que
soit ce Caucase d'où je viens, les mères y tiennent leurs
petits, Créon, serrés contre elles, comme les autres. Les
430   bêtes des forêts le font aussi... Ils dorment là. Ces cris,
ces torches dans la nuit, ces mains inconnues qui les
prennent et me les arrachent, c'est peut-être beaucoup pour
payer les crimes de leur mère. Donne-moi jusqu'à demain.
Je les éveillerai au matin comme d'habitude et je te les
435   enverrai. Crois Médée, roi ! À peine auront-ils tourné la
route, je serai partie.

CRÉON, *la regarde un instant en silence puis dit soudain*. – Soit.

Il ajoute sourdement sans la quitter du regard.

Tu vois, je me fais vieux. Une nuit c'est trop pour toi. C'est
440   le temps de dix de tes crimes. Je devrais repousser ta prière.
Mais j'ai beaucoup tué, Médée, moi aussi. Et dans les villages
conquis où j'entrais à la tête de mes soldats ivres, beaucoup

d'enfants… Je donne au destin[1] la nuit tranquille de ces deux-
là, en échange. Qu'il s'en serve, s'il veut, pour me perdre.

445
Il est sorti, suivi des hommes.
Dès qu'il a disparu, le visage de Médée s'anime et
elle lui crie de toutes ses forces, crachant vers lui.

MÉDÉE. – Comptes-y, Créon! Compte sur Médée! Il faut l'aider
un peu, le destin! Tu as perdu tes griffes, vieux lion, si tu en
450 es à faire des prières, à racheter des petits enfants morts…
Ah! tu veux les laisser dormir, ces deux-là, parce que quelque
chose te chatouille au creux de la poitrine, en pensant à tous
ceux que tu as tués quand tu es seul, le soir, dans ton palais
vide, après le dîner. C'est ton estomac, vieux fauve, qui se
455 délabre. Pas autre chose! Mange des bouillies, prends des
poudres et ne t'attendris plus sur toi, qui es si bon, le vieux
Créon que tu connais si bien, un si brave homme au fond,
un incompris, mais qui a tout de même égorgé son compte
d'innocents quand il avait encore des dents et les membres
460 solides. Chez les bêtes on tue les vieux loups pour leur éviter
ces retours en arrière, ces ultimes attendrissements. N'espère
pas qu'ils te seront comptés. Je suis Médée, vieux crocodile[2]!
Je pèse juste, moi, si les dieux voulaient s'y laisser prendre.
Le bien et le mal cela me connaît. Je sais qu'on paie
465 comptant, que tous les coups sont bons et qu'il faut se servir

---

1. Le destin est une puissance inflexible qui décide des événements qui
frappent le monde et les hommes. Souvent figuré sous les traits d'une divinité, il tient une place toute particulière dans la tragédie grecque, où il déter-
mine l'action. Certaines pièces montrent des personnages qui veulent à tout
prix lui échapper (comme Jocaste et Œdipe, dans *Œdipe roi* du Grec
Sophocle, au Ve siècle av. J.-C.), mais leurs tentatives sont vouées à l'échec, le
sort devant s'accomplir de façon inexorable. Les pièces tragiques d'Anouilh
mettent aussi en avant le rôle du destin, qui est le thème de la première
scène d'*Antigone*.
2. L'expression «vieux crocodile» est récurrente dans le théâtre de Jean
Anouilh : elle est souvent utilisée pour désigner des personnages tyranniques,
ou encore des écrivains à succès.

soi-même, tout de suite. Et puisque ton sang refroidi, tes glandes mortes, t'ont rendu assez lâche pour me donner cette nuit, tu vas le payer!

Elle crie à la nourrice.

470   Aux paquets, la vieille! Embarque ta marmite, roule les draps, attelle le cheval. Nous serons parties dans une heure.

JASON, *paraît*. – Où vas-tu?

MÉDÉE, *lui fait face*. – Je fuis, Jason! Je fuis. Il n'est pas nouveau
475   pour moi de changer de séjour. C'est la cause de ma fuite qui est nouvelle, car jusqu'ici c'est pour toi que j'ai fui.

JASON. – J'étais venu derrière eux. J'ai attendu qu'ils s'éloignent pour te voir seule.

MÉDÉE. – Tu as encore quelque chose à me dire?

480 JASON. – Tu t'en doutes. En tout cas, j'ai à écouter ce que tu as à me dire, toi, avant de partir.

MÉDÉE. – Et tu n'as pas peur?

JASON. – Si.

MÉDÉE, *va doucement à lui et dit soudain*. – Que je te regarde... Je
485   t'ai aimé! Dix ans j'ai couché près de toi. Ai-je vieilli comme toi, Jason?

JASON. – Oui.

MÉDÉE. – Je te revois debout, comme cela, devant moi, la pre-mière nuit de Colchide. Ce héros brun, descendu de sa
490   barque, cet enfant gâté qui voulait l'or de la Toison et qu'il ne fallait pas laisser mourir, c'était toi, tu crois?

JASON. – C'était moi.

MÉDÉE. – J'aurais dû te laisser aller les affronter seul les taureaux ! seul les géants surgis tout armés de la terre, le dragon
495   qui gardait la Toison[1].

JASON. – Peut-être.

MÉDÉE. – Tu serais mort. Comme ce serait facile un monde
sans Jason !

JASON. – Un monde sans Médée ! Je l'ai rêvé aussi.

500 MÉDÉE. – Mais ce monde comprend et Jason et Médée, et il faut
bien le prendre comme il est. Et tu auras beau demander
secours à ton beau-père, me faire mener à la frontière par ses
hommes ; une mer ou deux, ce n'est pas assez entre nous, tu
le sais. Pourquoi l'as-tu empêché de me faire tuer ?

505 JASON. – Parce que tu as été longtemps ma femme, Médée.
Parce que je t'ai aimée.

MÉDÉE. – Et je ne le suis plus ?

JASON. – Non.

MÉDÉE. – Heureux Jason délivré de Médée ! C'est ton amour
510   soudain pour cette petite oie de Corinthe, sa jeune odeur
aigre[2], ses genoux serrés de pucelle qui t'ont délivré ?

JASON. – Non.

MÉDÉE. – Qui est-ce alors ?

JASON. – C'est toi.

515   *Un temps. Ils sont l'un en face de l'autre.*
                         Ils se regardent. Elle lui crie soudain.

---

1. Ce sont les épreuves imposées par Aïétès à Jason. Voir note 1, p. 49.
2. *Aigre* : piquante, désagréable.

MÉDÉE. – Tu ne seras jamais délivré, Jason! Médée sera toujours ta femme! Tu peux me faire exiler, m'étrangler tout à
l'heure quand tu ne pourras plus m'entendre crier, jamais,
520 jamais plus, Médée ne sortira de ta mémoire! Regarde-le ce
visage où tu ne lis que la haine, regarde-le avec ta haine à toi,
la rancune et le temps peuvent le déformer, le vice y creuser
sa trace; il sera un jour le visage d'une vieille femme ignoble
dont ils auront tous horreur, mais toi, tu continueras à y lire
525 jusqu'au bout le visage de Médée!

JASON. – Non! Je l'oublierai.

MÉDÉE. – Tu crois? Tu iras boire dans d'autres yeux, sucer la
vie sur d'autres bouches, prendre ton petit plaisir d'homme
où tu pourras. Oh! tu en auras d'autres femmes, rassure-toi,
530 tu en auras mille maintenant, toi qui n'en pouvais plus de
n'en avoir qu'une. Tu n'en auras jamais assez pour chercher
ce reflet dans leurs yeux, ce goût sur leurs lèvres, cette odeur
de Médée sur elles.

JASON. – Tout ce que je veux fuir!

535 MÉDÉE. – Ta tête, ta sale tête d'homme peut le vouloir, tes mains
déroutées[1] chercheront malgré toi, dans l'ombre, sur ces
corps étranges, la forme perdue de Médée! Ta tête te dira
qu'elles sont mille fois plus jeunes ou plus belles. Alors ne
ferme pas les yeux, Jason, ne te laisse pas une seconde aller.
540 Tes mains obstinées chercheraient malgré toi leur place sur ta
femme... Et tu auras beau en prendre, à la fin, qui me ressem-
bleront, des Médées neuves dans ton lit de vieillard, quand
la vraie Médée ne sera plus, quelque part, qu'un vieux sac de
peau plein d'os, méconnaissable, il suffira d'une impercep-
545 tible épaisseur sur une hanche, d'un muscle plus court ou
plus long, pour que tes mains de jeune homme, au bout de

----

1. *Déroutées* : perdues, sorties de leur route (sens étymologique).

tes vieux bras, se souviennent encore et s'étonnent de ne pas la retrouver. Coupe tes mains, Jason, coupe tes mains tout de suite! change de mains aussi si tu veux encore aimer.

550 JASON. – Crois-tu que c'est pour chercher un autre amour que je te quitte? Crois-tu que c'est pour recommencer? Ce n'est plus seulement toi que je hais, c'est l'amour!

Un temps, ils se regardent encore.

MÉDÉE. – Où veux-tu que j'aille? Où me renvoies-tu? Gagnerai-
555 je le Phase[1], la Colchide, le royaume paternel, les champs[2] baignés du sang de mon frère? Tu me chasses. Quelles terres m'ordonnes-tu de gagner sans toi? Quelles mers libres? Les détroits du Pont[3] où je suis passée derrière toi, trichant, mentant, volant pour toi? Lemnos[4] où on n'a pas dû m'oublier?
560 la Thessalie où ils m'attendent pour venger leur père, tué pour toi[5]? Tous les chemins que je t'ai ouverts, je me les suis fermés. Je suis Médée chargée d'horreur et de crimes. Tu peux ne plus me connaître, ils me connaissent encore, eux. Quel embarras, hein, un vieux complice? Il fallait me laisser tuer,
565 tu le vois bien.

JASON. – Je te sauverai.

---

1. *Phase* : fleuve de Colchide (actuel Rioni), qui prend sa source dans le Caucase et se jette dans la mer Noire. Dans cette réplique, Médée fait allusion à la trahison commise envers sa famille, lorsqu'elle a aidé Jason à voler la Toison d'or (voir notes 1, p. 49, et 3, p. 50).
2. *Les champs* : le pays, la terre (sens latin).
3. *Pont* : Pont-Euxin, c'est-à-dire la mer Noire. Ses détroits sont les Dardanelles et le Bosphore. C'est là que Médée et Jason sont passés, dans leur fuite de Colchide, après la mort du frère de Médée.
4. *Lemnos* : île de la mer Égée, sur le chemin des Argonautes lors de leur voyage vers la Colchide. Jason s'y unit à la reine Hypsipyle, lui promettant de revenir la voir à son retour de Colchide. Mais, au lieu de tenir parole, il épousa Médée.
5. Voir note 2, p. 58.

MÉDÉE. – Tu me sauveras ! Que sauveras-tu ? Cette peau usée, cette carcasse de Médée bonne à traîner dans son ennui et sa haine n'importe où ? Un peu de pain et une maison quelque part et qu'elle vieillisse, n'est-ce pas, dans le silence, qu'on n'entende plus parler d'elle, enfin ! Pourquoi es-tu lâche, Jason ? Pourquoi ne vas-tu pas jusqu'au bout ? Il n'est qu'un lieu, qu'une demeure où Médée enfin se taira. Cette paix que tu voudrais que j'aie, pour pouvoir vivre, donne-la-moi. Va dire à Créon que tu acceptes. Ce ne sera qu'une petite minute dure à passer. Tu as déjà tué Médée aujourd'hui, tu le sais bien. Médée est morte. Qu'est-ce que c'est qu'un peu de sang de Médée en plus ? Une flaque qu'on lavera par terre, une caricature figée dans un rictus d'horreur qu'on cachera quelque part, dans un trou. Rien. Achève, Jason ! Je n'en peux plus déjà d'attendre. Va dire à Créon.

JASON. – Non.

MÉDÉE, *plus doucement*. – Pourquoi ? Crois-tu qu'un muscle qu'on déchire, une peau qui se fend, ce soit plus ?

JASON. – Je ne veux pas de ta mort non plus. C'est encore toi, ta mort. Je veux l'oubli et la paix.

MÉDÉE. – Tu ne les auras jamais plus, Jason ! Tu les as perdus en Colchide ce soir, dans la forêt où tu m'as prise dans tes bras. Morte ou vivante, Médée est là, devant ta joie et ta paix, montant la garde. Ce dialogue que tu as commencé avec elle, tu ne le termineras qu'avec ta mort maintenant. Après les mots de la tendresse et de l'amour, ç'aura été les insultes et les scènes, c'est la haine, à présent, soit, mais c'est toujours avec Médée que tu parles. Le monde est Médée pour toi, à jamais.

JASON. – Le monde a-t-il donc toujours été Jason pour toi ?

MÉDÉE. – Oui !

JASON. – Tu oublies vite! Ce n'est pas pour une dernière scène
de ménage que je suis venu te trouver, mais cette couche où
600   tu nous prétends liés à jamais, qui l'a désertée la première?
Qui, la première, a accepté d'autres mains sur sa peau, le
poids d'un autre homme sur son ventre?

MÉDÉE. – Moi!

JASON. – Je croyais que tu avais oublié aussi pourquoi nous
605   avions fui de Naxos[1].

MÉDÉE. – Tu t'échappais déjà. Ton corps reposait près de moi
chaque nuit, mais dans ta tête, dans ta sale tête d'homme,
fermée, tu forgeais déjà un autre bonheur, sans moi. Alors j'ai
essayé de te fuir la première, oui!

610 JASON. – C'est un mot commode, fuir.

MÉDÉE. – Pas tellement, tu vois, car je ne l'ai pas pu. Ces mains,
cette autre odeur, ce plaisir même que tu ne me donnais plus,
toi, je les ai haïs tout de suite. Je t'ai aidé à le tuer, je t'ai dit
l'heure. J'ai été ta complice contre lui. Je te l'ai vendu. L'as-
615   tu oublié, toi, ce soir où je t'ai dit: «Viens, il est là, tu peux
le prendre»?

JASON. – Ne reparle plus jamais de ce soir-là!

MÉDÉE. – J'ai été ignoble, hein, ce soir-là, deux fois? Et tu me
méprisais, tu me haïssais de toutes tes forces et je n'avais plus
620   à attendre autre chose de toi que ce regard froid – mais c'est
tout de même toi que j'ai supplié de m'emmener. Il était beau
pourtant, tu sais, Jason, mon berger de Naxos! Il était jeune
et il m'aimait, lui!

JASON. – Pourquoi n'est-ce pas à lui que tu as dit de me tuer?
625   Je dormirais, maintenant, loin de toi; j'aurais fini.

----

1. Naxos: île des Cyclades, au cœur de la mer Égée. Anouilh semble être le
seul à mentionner ces infidélités de Médée.

MÉDÉE. – Je n'ai pas pu! Il a fallu que je me recolle à ta haine, comme une mouche, que je reprenne mon chemin avec toi; que je me recouche le lendemain contre ton corps ennuyé pour pouvoir enfin m'endormir. Tu crois que je ne me suis
630   pas mille fois plus méprisée que toi? J'ai hurlé seule devant ma glace, je me suis déchirée avec mes ongles d'être cette chienne qui revenait se coucher dans son trou. Les bêtes s'oublient, elles, et se quittent, au moins, le désir mort... Je te connais pourtant, héros pour filles de Corinthe[1]! Je t'ai
635   pesé, moi. Je sais ce que tu peux donner. Mais je suis encore là, tu vois.

JASON. – Tu l'as peut-être fait tuer trop vite, ton berger!

MÉDÉE, *lui jette soudain.* – J'ai essayé, Jason, tu ne l'as pas su? J'ai essayé encore avec d'autres, depuis. Je n'ai pas pu!

640   *Un temps, Jason dit soudain plus doucement.*

JASON. – Pauvre Médée...

MÉDÉE, *se dresse devant lui comme une furie.* – Je te défends d'avoir pitié!

JASON. – Le mépris, tu me le permets? Pauvre Médée encom-
645   brée de toi-même! Pauvre Médée à qui le monde ne renvoie jamais que Médée. Tu peux défendre d'avoir pitié. Personne n'aura jamais pitié de toi. Et moi non plus, si j'apprenais aujourd'hui ton histoire, je ne le pourrais pas. L'homme Jason te juge avec les autres hommes. Et ton cas est réglé pour
650   toujours. Médée! C'est un beau nom pourtant, il n'aura été qu'à toi seule dans ce monde. Orgueilleuse! Emporte celle-là dans le petit coin sombre où tu caches tes joies : il n'y aura

---

1. *Filles de Corinthe* : Créuse, mais aussi prostituées. La cité grecque était réputée pour ses courtisanes, dont la plus célèbre était Laïs de Corinthe, au Ve siècle av. J.-C.

pas d'autres Médée, jamais, sur cette terre. Les mères n'appelleront jamais plus leurs filles de ce nom. Tu seras seule, jusqu'au bout des temps, comme en cette minute.

MÉDÉE. – Tant mieux !

JASON. – Tant mieux ! Redresse-toi, serre les poings, crache, piétine… Plus nous serons à te juger, à te haïr, mieux cela sera, n'est-ce pas ? Plus le cercle s'élargira autour de toi, plus tu seras seule, plus tu auras mal pour mieux haïr toi aussi, plus cela sera bon. Eh bien, tu n'es pas toute seule ce soir, tant pis… Moi qui ai le plus souffert par toi, moi que tu as choisi entre tous pour dévorer, j'ai pitié de toi.

MÉDÉE. – Non !

JASON. – J'ai pitié de toi, Médée, qui ne connais que toi, qui ne peux donner que pour prendre, j'ai pitié de toi attachée pour toujours à toi-même, entourée d'un monde vu par toi…

MÉDÉE. – Garde ta pitié ! Médée blessée est encore redoutable. Défends-toi plutôt !

JASON. – Tu as l'air d'une petite bête éventrée qui se débat empêtrée dans ses tripes et qui baisse encore la tête pour attaquer.

MÉDÉE. – Cela tourne mal, Jason, pour les chasseurs qui se permettent ces attendrissements au lieu de recharger leur arme. Tu sais tout ce que je peux encore ?

JASON. – Oui. Je le sais.

MÉDÉE. – Tu sais que je ne m'attendrirai pas, moi, que je ne me mettrai pas à avoir pitié à la dernière minute ! Tu m'as vue faire front et tout risquer d'autres fois, pour bien moins ?

JASON. – Oui.

MÉDÉE, *crie*. – Alors qu'est-ce que tu veux ? Pourquoi viens-tu
tout brouiller soudain avec ta pitié ? Je suis ignoble, tu le sais.
Je t'ai trahi comme les autres. Je ne sais faire que le mal. Tu
n'en peux plus de moi et tu sens bien quel crime je prépare.
685 Garde-toi[1], voyons ! Recule ! Appelle les autres ! Défends-toi,
au lieu de me regarder ainsi !

JASON. – Non.

MÉDÉE. – Je suis Médée ! Je suis Médée ! tu te trompes ! Médée
qui ne t'a rien donné, jamais, que de la honte. J'ai menti, j'ai
690 triché, j'ai volé, je suis sale... C'est à cause de moi que tu fuis
et que tout est taché de sang autour de toi. Je suis ton malheur, Jason, ton ulcère[2], tes croûtes. Je suis ta jeunesse
perdue, ton foyer dispersé, ta vie errante, ta solitude, ton mal
honteux. Je suis tous les sales gestes et toutes les sales pen-
695 sées. Je suis l'orgueil, l'égoïsme, la crapulerie[3], le vice, le
crime. Je pue ! Je pue, Jason ! Ils ont tous peur de moi et se
reculent. Tu le sais pourtant que je suis tout cela et que je
serai bientôt la déchéance, la laideur, la vieillesse haineuse.
Tout ce qui est noir et laid sur la terre, c'est moi qui l'ai reçu
700 en dépôt. Alors, puisque tu le sais, pourquoi n'arrêtes-tu pas
de me regarder ainsi ? Je n'en veux pas de ta tendresse. Je n'en
veux pas de tes bons yeux.

Elle crie devant lui.

Arrête, arrête, Jason ! ou je te tue tout de suite pour que tu ne
705 me regardes plus comme cela !

JASON, *doucement*. – C'est peut-être ce qui serait le mieux,
Médée.

MÉDÉE, *le regarde et dit simplement*. – Non. Pas toi.

---

1. *Garde-toi* : tiens-toi sur tes gardes.
2. *Ulcère* : plaie dans une muqueuse.
3. *Crapulerie* : canaillerie, malhonnêteté.

JASON, *va à elle, il lui prend le bras*. – Alors, écoute-moi. Je ne peux
pas t'empêcher d'être toi. Je ne peux pas t'empêcher de faire
le mal que tu portes en toi. Les dés sont jetés, d'ailleurs. Ces
conflits insolubles se dénouent, comme les autres, et quel-
qu'un sait sans doute déjà comment tout cela finira. Je ne
peux rien empêcher. Tout juste jouer le rôle qui m'est dévolu,
depuis toujours. Mais ce que je peux, c'est tout dire, une fois.
Les mots ne sont rien, mais il faut qu'ils soient dits tout de
même. Et si je dois être, ce soir, au nombre des morts de cette
histoire, je veux mourir lavé de mes mots...

Je t'ai aimée, Médée, comme un homme aime une femme,
d'abord. Tu n'as sans doute connu ou goûté que cet amour-
là, mais je t'ai donné plus qu'un amour d'homme – peut-être
sans que tu l'aies su. Je me suis perdu en toi comme un petit
garçon dans la femme qui l'a mis au monde. Tu as été longtemps ma patrie, ma lumière, tu as été l'air que je respirais,
l'eau qu'il fallait boire pour vivre et le pain de tous les jours.
Quand je t'ai prise à Colchos, tu n'étais qu'une fille plus belle
et plus dure que les autres que j'avais conquise avec la Toison
et que j'emportais. C'est ce Jason-là que tu regrettes? Je
t'emportais comme l'or de ton père, pour te dépenser vite,
pour t'user joyeusement comme lui. Et puis après, mon Dieu,
il me restait ma barque, mes compagnons fidèles et d'autres
aventures à courir. Je t'ai d'abord aimée comme toi, Médée :
à travers moi. Le monde était Jason, la joie de Jason, son cou-
rage et sa force – sa faim. Et si nous avions tous les deux de
grandes dents, on verrait bien un jour qui dévorerait l'autre...
Et puis un soir, un soir qui ressemblait pourtant à tous les
autres, tu t'es endormie à table comme une petite fille, la tête
contre moi. Et ce soir-là, où tu n'étais peut-être que fatiguée
de la route trop longue, je me suis soudain senti chargé de
toi. Une minute avant, j'étais Jason encore et je n'avais que
mon plaisir à prendre dans ce monde, durement. Il a suffi que
tu te taises, que ta tête glisse sur mon épaule et cela a été

fini… Les autres continueraient à rire ou à parler autour de moi, mais je venais de les quitter. Le jeune homme Jason était
745 mort. J'étais ton père et ta mère; j'étais celui qui portait la tête de Médée endormie sur lui. Que rêvais-tu, toi, dans ta petite cervelle de femme, pendant que je me chargeais ainsi de toi? Je t'ai emportée sur notre lit, et je ne t'ai pas aimée, pas même désirée, ce soir-là. Je t'ai seulement regardée dormir. La nuit
750 était calme, nous avions devancé depuis longtemps les poursuivants de ton père, mes compagnons veillaient en armes autour de nous et pourtant je n'ai pas osé fermer les yeux. Je t'ai défendue, Médée – contre rien d'ailleurs – toute cette nuit-là.
755 Au matin, la fuite a repris et les jours ont ressemblé aux autres mais, peu à peu, tous ces garçons qui m'avaient suivi les premiers sur la mer inconnue, tous ces petits gars d'Iolchos[1], qui étaient prêts à attaquer des monstres avec leurs armes fragiles sur un signe de moi, ont eu peur. Ils ont com-
760 pris que je n'étais plus leur chef, que je ne les mènerais plus chercher rien, nulle part, maintenant que je t'avais trouvée. Leur regard était triste et un peu méprisant peut-être, mais ils ne m'ont pas fait de reproches. Nous avons partagé l'or et ils nous ont laissés. Le monde alors a pris sa forme. La forme
765 que je croyais lui voir garder toujours. Le monde est devenu Médée…
Les as-tu oubliés ces jours où nous n'avons rien fait, rien pensé l'un sans l'autre? Deux complices devant la vie devenue dure, deux petits frères qui portaient leur sac côte à côte
770 tout pareils, à la vie à la mort, les manches retroussées, et pas d'histoires, chacun la moitié du barda[2], chacun son couteau

---

1. *Ces petits gars d'Iolchos* : les Argonautes, membres de l'équipage de la nef *Argo*, commandé par Jason lors de la quête de la Toison d'or (voir note 1, p. 49). Leur point de départ, Iolcos ou Iolchos, est l'actuelle Volos, au centre de la Grèce.
2. *Barda* : ensemble de l'équipement que porte sur son dos le soldat en campagne.

dans les coups durs, la moitié des fatigues, la moitié de la bouteille au repas. Je t'aurais fait honte si je t'avais tendu la main quand le passage était difficile, si je t'avais offert de t'aider. Jason ne commandait plus qu'un seul petit argonaute. Ma petite armée frêle aux cheveux levés dans un mouchoir, aux yeux clairs et droits, c'était toi. Mais je pouvais conquérir le monde encore avec ma petite troupe fidèle !... Au premier matin sur l'*Argo*, avec mes trente matelots qui m'avaient donné leur vie, je ne m'étais pas senti si fort... Et le soir, à la halte, le soldat et le capitaine se déshabillaient côte à côte, tout surpris de se retrouver un homme et une femme sous leurs deux blouses pareilles, et de s'aimer.

Nous pouvons être malheureux maintenant, Médée, nous pouvons nous déchirer et souffrir. Ces jours nous ont été donnés, et il ne peut y avoir jamais de honte ou de sang qui les tachent...

> *Un silence. Il rêve un peu. Médée s'est accroupie par terre pendant qu'il parlait, ses bras autour de ses genoux, la tête cachée. Il s'accroupit par terre près d'elle sans la regarder.*

Après, le petit soldat a repris son visage de femme et le capitaine a dû redevenir un homme lui aussi et nous avons commencé à nous faire mal. D'autres filles sont passées dans les rues que je ne pouvais pas m'empêcher de regarder. J'ai entendu pour la première fois, étonné, ton rire fuser avec d'autres hommes et puis tes mensonges sont venus. Un seul d'abord, qui nous a suivis longtemps comme une bête venimeuse dont nous n'osions pas fixer le regard en nous détournant, puis d'autres, chaque jour plus nombreux. Et le soir quand nous nous prenions en silence, honteux de nos corps encore complices, tout leur troupeau grouillait et respirait autour de nous dans la nuit. Notre haine a dû naître alors d'une de ces luttes sans tendresse et nous avons été trois

805 désormais à fuir, elle entre nous. Mais pourquoi redire ce qui est mort ? Ma haine aussi est morte...

Il s'est arrêté. Médée dit doucement.

MÉDÉE. – Si nous ne veillons que des choses mortes, pourquoi avons-nous si mal, tous les deux, Jason ?

810 JASON. – Parce que toutes les choses sont dures à naître dans ce monde et dures à mourir aussi.

MÉDÉE. – Tu as souffert ?

JASON. – Oui.

MÉDÉE. – En faisant ce que je faisais, je n'étais pas plus heu-
815 reuse que toi.

JASON. – Je le sais.

Un temps.

MÉDÉE, *demande sourdement.* – Pourquoi es-tu resté si longtemps ?

820 JASON, *a un geste.* – Je t'ai aimée, Médée. J'ai aimé notre vie for-
cenée[1]. J'ai aimé le crime et l'aventure avec toi. Et nos étreintes, nos sales luttes de chiffonniers[2], et cette entente de complices que nous retrouvions le soir, sur la paillasse, dans un coin de notre roulotte, après nos coups. J'ai aimé ton
825 monde noir, ton audace, ta révolte, ta connivence[3] avec l'hor-
reur et la mort, ta rage de tout détruire. J'ai cru avec toi qu'il fallait toujours prendre et se battre et que tout était permis.

MÉDÉE. – Et tu ne le crois plus ce soir ?

---

1. *Forcenée* : folle, excessive.
2. *Chiffonniers* : vendeurs de vieux chiffons. «Se disputer comme des chiffonniers» signifie «se disputer de façon violente et bruyante».
3. *Connivence* : complicité.

JASON. – Non. Je veux accepter maintenant !

830 MÉDÉE, *murmure*. – Accepter ?

JASON. – Je veux être humble. Ce monde, ce chaos où tu me
menais par la main, je veux qu'il prenne une forme enfin.
C'est toi qui as raison sans doute en disant qu'il n'est pas de
raison, pas de lumière, pas de halte, qu'il faut toujours
835 fouiller les mains sanglantes, étrangler et rejeter tout ce qu'on
arrache. Mais je veux m'arrêter, moi, maintenant, être un
homme. Faire sans illusions peut-être, comme ceux que nous
méprisions ; ce qu'ont fait mon père et le père de mon père
et tous ceux qui ont accepté avant nous, et plus simplement
840 que nous, de déblayer une petite place où tienne l'homme
dans ce désordre et cette nuit.

MÉDÉE. – Tu le pourras, tu crois ?

JASON. – Sans toi, sans ton poison bu tous les jours, je le pourrai, oui.

845 MÉDÉE. – Sans moi. Tu as donc pu imaginer un monde sans
moi, toi ?

JASON. – Je vais l'essayer de toutes mes forces. Je ne suis plus
assez jeune à présent pour souffrir. Ces contradictions épou-
vantables, ces abîmes, ces blessures, je leur réponds mainte-
850 nant par le geste le plus simple qu'ont inventé les hommes
pour vivre : je les écarte.

MÉDÉE. – Tu parles doucement, Jason, et tu dis des mots terribles. Comme tu es sûr de toi ! Comme tu es fort !

JASON. – Oui, je suis fort !

855 MÉDÉE. – Race d'Abel[1], race des justes, race des riches, comme
vous parlez tranquillement. C'est bon, n'est-ce pas, d'avoir le

---

1. Abel : dans la Bible, fils d'Adam et d'Ève, et frère de Caïn, par qui il sera
tué. Il représente la figure du juste, à l'opposé de son frère, premier meurtrier
de l'histoire (Genèse, 4, 1-12). L'expression «Race d'Abel» est une allusion

ciel pour soi et aussi les gendarmes. C'est bon de penser un jour comme son père et le père de son père, comme tous ceux qui ont eu raison depuis toujours. C'est bon d'être bon, d'être noble, d'être honnête. Et tout cela, donné un beau matin, comme par hasard, quand viennent les premières fatigues, les premières rides, le premier or. Joue le jeu, Jason, fais le geste, dis oui ! Tu te prépares une belle vieillesse, toi !

JASON. – Ce geste j'aurais voulu le faire avec toi, Médée. J'aurais tout donné pour que nous devenions deux vieux l'un à côté de l'autre, dans un monde apaisé. C'est toi qui ne l'as pas voulu.

MÉDÉE. – Non !

JASON. – Poursuis ta course. Tourne en rond, déchire-toi, bats-toi, méprise, insulte, tue, refuse tout ce qui n'est pas toi. Moi, je m'arrête. Je me contente. J'accepte ces apparences aussi durement, aussi résolument que je les ai refusées autrefois avec toi. Et s'il faut continuer à se battre, c'est pour elles maintenant que je me battrai, humblement, adossé à ce mur dérisoire, construit de mes mains entre le néant absurde et moi.

Un temps. Il ajoute.

Et c'est cela, sans doute, en fin de compte – et pas autre chose – être un homme.

MÉDÉE. – N'en doute pas, Jason. Tu es un homme maintenant.

JASON. – J'accepte ton mépris, avec ce nom.

Il s'est levé.

Cette jeune fille est belle. Moins belle que toi quand tu m'es apparue ce premier soir de Colchide et je ne l'aimerai jamais

---

à un poème de Baudelaire, «Caïn et Abel», dans *Les Fleurs du mal*, où le poète oppose les nomades et les sédentaires, les bénis et les maudits.

885   comme je t'ai aimée. Mais elle est neuve, elle est simple, elle
est pure. Je vais la recevoir sans sourire des mains de son père
et de sa mère, tout à l'heure, dans le soleil du matin, avec sa
robe blanche et son cortège de petits enfants… De ses doigts
gauches de petite fille, j'attends l'humilité et l'oubli. Et, si les
890   dieux le veulent, ce que tu hais le plus au monde, ce qui est
le plus loin de toi : le bonheur, le pauvre bonheur.

> *Un silence, il s'est tu. Médée murmure.*

MÉDÉE. – Le bonheur…

> *Un silence encore. Elle dit soudain d'une petite*
895   *voix humble, sans bouger.*

Jason, c'est dur à dire, presque impossible. Cela m'étrangle
et j'ai honte. Si je te disais que je vais essayer maintenant avec
toi, tu me croirais ?

JASON. – Non.

900 MÉDÉE, *après un temps*. – Tu aurais raison.

> *Elle ajoute, la voix neutre.*

Voilà. Nous avons tout dit, n'est-ce pas ?

JASON. – Oui.

MÉDÉE. – Tu as fini, toi. Tu es lavé. Tu peux t'en aller mainte-
905   nant. Adieu, Jason.

JASON. – Adieu, Médée. Je ne peux pas te dire : sois heureuse…
Sois toi-même.

> *Il est sorti, Médée murmure encore :*

MÉDÉE. – Leur bonheur…

910   *Elle se dresse soudain et crie à Jason disparu.*

Jason ! Ne pars pas ainsi. Retourne-toi[1] ! Crie quelque chose. Hésite, aie mal ! Jason, je t'en supplie, il suffit d'une minute de désarroi[2] ou de doute dans tes yeux pour nous sauver tous !...

915 *Elle court après lui, s'arrête et crie encore.*

Jason ! Tu as raison, tu es bon, tu es juste et tout est sur mon dos pour toujours. Mais une seconde, une seule petite seconde, doutes-en ! Retourne-toi et je serai peut-être délivrée...

920 *Son bras retombe, lassé, Jason doit être loin. Elle appelle d'une autre voix.*

Nourrice.

La nourrice paraît sur le seuil de la roulotte.

Le jour va se lever bientôt. Réveille les enfants, habille-les
925 comme pour une fête. Je veux qu'ils aillent porter mon cadeau de noces à la fille de Créon.

LA NOURRICE. – Ton cadeau, pauvre ! Que te reste-t-il donc à donner ?

MÉDÉE. – Dans la cachette, le coffre noir que j'ai emporté de
930 Colchos. Apporte-le.

LA NOURRICE. – Tu avais défendu qu'on y touche ! Que Jason même sache qu'il existait.

MÉDÉE. – Va le chercher, la vieille, et sans parler. On n'a plus le temps de t'écouter, toi. Il faut que tout aille terriblement vite
935 maintenant. Donne le coffre aux enfants et conduis-les jusqu'en vue de la ville ; qu'ils demandent le palais du roi, qu'ils

---

1. Sur ce passage, voir présentation, p. 13-14.
2. *Désarroi* : trouble.

disent que c'est un cadeau de leur mère Médée pour l'épousée... Qu'ils le remettent entre ses mains et qu'ils reviennent.
Écoute encore. Le coffre contient un voile d'or et un dia-
940   dème[1], restes du trésor de ma race. Qu'ils ne l'ouvrent pas,
eux.

> *Elle crie soudain terrible à la vieille hésitante.*

Obéis !

> *La vieille disparaît dans la roulotte. Elle ressor-*
945   *tira plus tard silencieusement avec les enfants.*

MÉDÉE, *restée seule.* – C'est maintenant, Médée, qu'il faut être
toi-même... Ô mal ! Grande bête vivante qui rampe sur moi
et me lèche, prends-moi. Je suis à toi cette nuit, je suis ta
femme. Pénètre-moi, déchire-moi, gonfle et brûle au milieu
950   de moi. Tu vois, je t'accueille, je t'aide, je m'ouvre... Pèse sur
moi de ton grand corps velu, serre-moi dans tes grandes
mains calleuses[2], ton souffle rauque sur ma bouche, écoute-
moi. Je vis enfin ! Je souffre et je nais. Ce sont mes noces.
C'est pour cette nuit d'amour avec toi que j'ai vécu.

955   Et toi, nuit, nuit pesante, nuit bruissante de cris étouffés et de
luttes, nuit grouillante du bond de toutes les bêtes qui se
pourchassent, qui se prennent, qui se tuent, attends encore
un peu s'il te plaît, ne passe pas trop vite... Ô bêtes innom-
brables autour de moi, travailleuses obscures de cette lande,
960   innocentes terribles, tueuses... C'est cela qu'ils appellent une
nuit calme, les hommes, ce grouillement géant d'accouple-
ments silencieux et de meurtres. Mais je vous sens moi, je
vous entends toutes ce soir pour la première fois, au fond des
eaux et des herbes, dans les arbres, sous la terre... Un même
965   sang bat dans nos veines. Bêtes de la nuit, étrangleuses, mes

---

1. Diadème : bandeau orné qui ceint le front des représentants de la royauté.
2. Calleuses : dont la peau est durcie à force de frottements.

sœurs! Médée est une bête comme vous! Médée va jouir et
tuer comme vous. Cette lande touche à d'autres landes et ces
landes à d'autres encore jusqu'à la limite de l'ombre, où des
millions de bêtes pareilles se prennent et égorgent en même
970 temps. Bêtes de cette nuit! Médée est là, debout au milieu de
vous, consentante et trahissant sa race. Je pousse avec vous
votre cri obscur. J'accepte comme vous, sans plus vouloir
comprendre le noir commandement. J'écrase du pied, j'éteins
la petite lumière. Je fais le geste honteux. Je prends sur moi,
975 j'assume, je revendique. Bêtes, je suis vous! Tout ce qui
chasse et tue cette nuit est Médée!

LA NOURRICE, *entre soudain*. – Médée! Les enfants ont dû arri-
ver au palais et une grande rumeur s'élève de la ville. Je ne
sais pas quel est ton crime, mais l'air en retentit déjà. Attelle
980 vite, fuyons, gagnons la frontière.

MÉDÉE. – Moi fuir? Mais si j'étais déjà partie, je reviendrais
pour jouir du spectacle.

LA NOURRICE. – Quel spectacle?

LE GARÇON, *surgit*. – Tout est perdu! La royauté, l'État sont
985 tombés. Le roi et sa fille sont morts!

MÉDÉE. – Morts si vite? Comment?

LE GARÇON. – Deux enfants sont venus à l'aube porter un présent à Créuse, un coffre noir qui contenait un voile richement
brodé d'or et un diadème précieux. À peine les eut-elle tou-
990 chés, à peine s'en fut-elle parée, comme une petite fille
curieuse devant sa glace, Créuse a changé de couleur, elle est
tombée se tordant dans d'horribles souffrances, défigurée par
le mal.

MÉDÉE, *crie*. – Laide? Laide comme la mort, n'est-ce pas?

995 LE GARÇON. – Créon est accouru, il a voulu la prendre, arracher le voile et le cercle d'or qui tuaient sa fille, mais à peine les a-t-il touchés, voilà que lui aussi pâlit. Il hésite un instant, l'horreur dans ses yeux, puis s'écroule, hurlant de douleur. Ils sont couchés l'un contre l'autre maintenant, expirant dans les
1000 soubresauts[1] et mélangeant leurs membres et personne n'ose approcher d'eux. Mais le bruit court que c'est toi qui as envoyé le poison. Les hommes ont pris leurs bâtons, leurs couteaux; ils accourent vers la roulotte. J'ai couru devant, tu n'auras même pas le temps de te disculper[2]. Fuis, Médée.

1005 MÉDÉE, *crie*. – Non!

Elle crie au petit qui se sauve.

Merci, petit, merci pour la seconde fois! Fuis, toi! Il vaut mieux ne pas me connaître. Aussi longtemps que les hommes se souviendront, il vaudra mieux ne pas m'avoir connue!

1010 *Elle se tourne vers la nourrice.*

Prends ton couteau, nourrice, égorge le cheval, qu'il ne reste rien de Médée tout à l'heure. Mets des fagots sous la roulotte, nous allons faire un feu de joie comme en Colchide. Viens!

LA NOURRICE. – Où m'entraînes-tu?

1015 MÉDÉE. – Tu le sais. La mort, la mort est légère. Suis-moi, la vieille, tu verras! Tu as fini de traîner tes vieux os qui te font mal et de geindre. Tu vas te reposer enfin, un long dimanche!

LA NOURRICE, *se détache hurlant*. – Je ne veux pas, Médée! Je veux vivre!

1020 MÉDÉE. – Combien de temps, vieillarde, la mort sur ton dos?

---

1. *Soubresauts* : mouvements brusques et convulsifs.
2. *Te disculper* : t'innocenter.

*Les enfants entrent en courant et viennent se jeter
effrayés dans les jupes de Médée.*

MÉDÉE, *s'arrête.* – Ah! Vous voilà vous deux? Vous avez peur?
Tous ces gens qui courent et qui hurlent, ces cloches... Tout
1025   va se taire.

*Elle tire leurs têtes en arrière, regarde leurs yeux
et murmure.*

Innocences! Piège des yeux d'enfants, petites brutes sournoises[1], têtes d'hommes. Vous avez froid? Je ne vous ferai
1030   pas de mal. Je ferai vite. Juste le temps de l'étonnement de la
mort dans vos yeux.

Elle les caresse.

Allons, que je vous rassure, que je vous serre une minute,
petits corps chauds. On est bien contre sa mère? on n'a plus
1035   peur. Petites vies tièdes sorties de mon ventre, petites volon-
tés de vivre et d'être heureux...

Elle crie soudain.

Jason! Voilà ta famille, tendrement unie. Regarde-la. Et
puisses-tu te demander toujours si Médée n'aurait pas aimé,
1040   elle aussi, le bonheur et l'innocence. Si elle n'aurait pas pu
être, elle aussi, la fidélité et la foi. Quand tu souffriras, tout
à l'heure, et jusqu'au jour de ta mort, pense qu'il y a eu une
petite fille Médée exigeante et pure autrefois. Une petite
Médée tendre et bâillonnée au fond de l'autre. Pense qu'elle
1045   aura lutté toute seule, inconnue, sans une main tendue et que
c'était elle, ta vraie femme! J'aurais voulu, Jason, j'aurais
peut-être voulu moi aussi que cela dure toujours et que ce soit
comme dans les histoires! Je veux, je veux, en cette seconde
encore, aussi fort que lorsque j'étais petite, que tout soit

---

1. *Sournoises* : perfides, fourbes.

lumière et bonté! Mais Médée innocente a été choisie pour être la proie et le lieu de la lutte… D'autres plus frêles ou plus médiocres peuvent glisser à travers les mailles du filet jusqu'aux eaux calmes ou à la vase; le fretin[1], les dieux l'abandonnent. Médée, elle, était un trop beau gibier dans le piège : elle y reste. Ce n'est pas tous les jours qu'ils ont cette aubaine, les dieux, une âme assez forte pour leurs rencontres, leurs sales jeux. Ils m'ont tout mis sur le dos et ils me regardent me débattre. Regarde avec eux, Jason, les derniers sursauts de Médée! J'ai l'innocence à égorger encore dans cette petite fille qui aurait tant voulu et dans ces deux petits morceaux tièdes de moi. Ils attendent ce sang, là-haut, ils n'en peuvent plus, de l'attendre!

Elle entraîne les enfants vers la roulotte.

Venez, petits, n'ayez pas peur. Vous voyez, je vous tiens, je vous caresse et nous rentrons tous trois à la maison…

Ils sont rentrés dans la roulotte. La scène reste vide un instant. La nourrice reparaît hagarde[2], comme une bête qui se cache, elle appelle.

LA NOURRICE. – Médée! Médée! Où es-tu? Ils arrivent!

Elle recule et crie soudain.

Médée!

Des flammes ont jailli de partout, elles entourent la roulotte. Jason entre rapidement à la tête des hommes armés.

JASON. – Éteignez ce feu! Saisissez-vous d'elle!

---

1. *Le fretin* : les poissons de très petite taille; par extension, les personnes d'importance négligeable.
2. *Hagarde* : affolée, égarée par l'émotion.

MÉDÉE, *paraît à la fenêtre de la roulotte et crie.* – N'approche pas, Jason ! Interdis-leur de faire un pas !

JASON, *s'arrête.* – Où sont les enfants ?

MÉDÉE. – Demande-le-toi une seconde encore que je regarde
1080   bien tes yeux.

Elle lui crie.

Ils sont morts, Jason ! Ils sont morts égorgés tous les deux, et avant que tu aies pu faire un pas, ce même fer va me frapper. Désormais j'ai recouvré mon sceptre ; mon frère, mon père,
1085   et la toison du bélier d'or est rendue à la Colchide : j'ai retrouvé ma patrie et la virginité que tu m'avais ravies ! Je suis Médée, enfin, pour toujours ! Regarde-moi avant de rester seul dans ce monde raisonnable, regarde-moi bien, Jason ! Je t'ai touché avec ces deux mains-là, je les ai posées sur ton
1090   front brûlant pour qu'elles soient fraîches et d'autres fois brûlantes sur ta peau. Je t'ai fait pleurer, je t'ai fait aimer. Regarde-les, ton petit frère et ta femme, c'est moi. C'est moi ! C'est l'horrible Médée ! Et essaie maintenant de l'oublier !

Elle se frappe et s'écroule dans les flammes qui
1095   *redoublent et enveloppent la roulotte. Jason arrête*
d'un geste les hommes qui allaient bondir et dit
simplement.

JASON. – Oui, je t'oublierai. Oui, je vivrai et malgré la trace sanglante de ton passage à côté de moi, je referai demain avec
1100   patience mon pauvre échafaudage d'homme sous l'œil indifférent des dieux.

Il se tourne vers les hommes.

Qu'un de vous garde autour du feu jusqu'à ce qu'il n'y ait plus que des cendres, jusqu'à ce que le dernier os de Médée
1105   soit brûlé. Venez, vous autres. Retournons au palais. Il faut

vivre maintenant, assurer l'ordre, donner des lois à Corinthe et rebâtir sans illusions un monde à notre mesure pour y attendre de mourir[1].

1110 *Il est sorti avec les hommes sauf un qui se fait une chique et prend morosement la garde devant le brasier. La nourrice entre et vient timidement s'accroupir près de lui dans le petit jour qui se lève.*

LA NOURRICE. – On n'avait plus le temps de m'écouter, moi.
1115 J'avais pourtant quelque chose à dire. Après la nuit vient le matin et il y a le café à faire et puis les lits. Et quand on a balayé, on a un petit moment tranquille au soleil avant d'éplucher les légumes. C'est alors que c'est bon, si on a pu grappiner[2] quelques sous, la petite goutte chaude au creux
1120 du ventre. Après on mange la soupe et on nettoie les plats. L'après-midi, c'est le linge ou les cuivres et on bavarde un peu avec les voisines et le souper arrive tout doucement... Alors on se couche et on dort.

LE GARDE, *après un temps*. – Il va faire beau aujourd'hui.

1125 LA NOURRICE. – Ça sera une bonne année. Il y aura du soleil et du vin. Et la moisson?

LE GARDE. – On a fauché la semaine dernière. On va rentrer demain ou après-demain si le temps se maintient.

LA NOURRICE. – La récolte sera bonne par chez vous?

1130 LE GARDE. – Faut pas se plaindre. Il y aura encore du pain pour tout le monde cette année-ci.

Le rideau est tombé pendant qu'ils parlaient.

---

1. Sur ce passage, voir présentation, p. 33-34.
2. *Grappiner* : saisir en raclant, avec soin et application le plus souvent.

DOSSIER

Questionnaire de lecture

1. Établissez une rapide chronologie de la vie et du parcours théâtral de Jean Anouilh. Vous y ferez figurer au moins six dates.
2. D'après la présentation, quelles sont les principales différences entre les *Médée* d'Euripide, de Sénèque, de Corneille et d'Anouilh ?
3. Avant le début de la pièce, combien de personnages Médée a-t-elle assassinés ? Qui tue-t-elle pendant la tragédie en elle-même ?
4. Donnez au moins deux éléments de la pièce d'Anouilh qui font figure d'anachronismes dans le contexte antique.
5. Qui, de Jason ou de Médée, a trompé l'autre le premier ? Avec qui ?
6. Quels cadeaux Médée offre-t-elle à Créuse ? Qu'ont-ils de particulier ?
7. Où et comment Médée commet-elle son dernier meurtre ? Que fait-elle après avoir commis ce crime ?
8. Comment Jason réagit-il après cet acte de son épouse ?
9. Dressez la liste des problèmes de la société contemporaine qu'aborde la pièce de Jean Anouilh.
10. En vous aidant de flèches et de symboles, représentez les relations qu'entretiennent les personnages principaux sous forme de schéma. Celui-ci sera accompagné d'un titre et d'une légende.

Parcours de lecture

Parcours de lecture n° 1 :
l'exposition originale d'une situation tragique

Relisez le texte du début de la pièce à «je ne sais pas si je vais être assez forte», p. 49-53, puis répondez aux questions suivantes en vous appuyant sur le texte.

La mise en place des éléments dramatiques

1. Relevez les informations qui précisent le cadre spatio-temporel dans lequel se déroule la pièce. Sont-elles importantes?

2. Le poids du passé est un thème récurrent dans l'œuvre d'Anouilh. Comment ce thème est-il mis en évidence au début de *Médée*? Cela est-il décisif pour la suite de l'action?

3. Tous les personnages principaux sont-ils présents dans ce passage?

4. Peut-on déjà prévoir l'issue de la pièce?

Les contradictions de Médée

1. Dans cette scène, Médée adopte deux attitudes qui paraissent contradictoires : lesquelles? S'opposent-elles vraiment?

2. Est-il possible de pressentir le projet d'assassinat de Médée? Justifiez votre réponse en mentionnant des éléments précis.

3. Le rôle de la Nourrice auprès de Médée entretient-il un jeu d'oppositions entre mère et enfants, entre femme nourricière et infanticide?

Parcours de lecture n° 2 :
Médée, entre force et faiblesse

Relisez le texte, de «Mon enfant est venu tout seul» à «rien n'est trop pour moi!», p. 55-59, et répondez aux questions suivantes en vous appuyant sur le texte.

La frustration d'être femme

1. Quelle place occupent les questions du sexe et de l'enfantement dans ce passage? En quoi sont-elles inévitables dans le mythe de Jason et de Médée?

2. Peut-on entendre dans les mots de Médée l'idée d'une vengeance face à un homme qui l'aurait humiliée?

3. Dans quelle mesure le discours de Médée sur les différences entre homme et femme accentue-t-il l'ambiguïté du personnage et contribue-t-il à éviter toute lecture manichéenne de l'œuvre?

La naissance d'un monstre

1. En quoi l'image de la naissance d'un nouvel «enfant» de Médée rend-elle encore plus terrifiant son projet?

2. Caractérisez l'évolution du personnage dans ce passage, entre le moment où elle se plaint d'être femme et celui où elle affirme qu'elle peut tout.

3. Selon les didascalies, Médée crie puis retrouve un calme froid. Qu'annonce ce changement d'attitude?

Parcours de lecture n° 3 : un couple uni et désuni par un passé omniprésent

Relisez le texte, de «JASON, *paraît.* – Où vas-tu?» à «MÉDÉE. – Oui!», p. 69-73, puis répondez aux questions suivantes en vous appuyant sur le texte.

Le poids du passé

1. Synthétisez les grandes étapes de la liaison des deux protagonistes qui sont mentionnées dans l'extrait. Qu'ont-elles en commun?

2. L'avenir de Jason peut-il être complètement différent de son passé avec Médée? Pourquoi?

3. Quand Jason déclare haïr l'amour, n'aime-t-il plus pour autant? Médée est-elle dans le même cas?

L'impossible oubli, entre espoir et menace

1. Comment comprenez-vous l'impossibilité pour Jason d'oublier Médée? Est-il condamné à ne vivre qu'à travers Médée? Pourquoi?

2. Les deux personnages se présentent comme unis à jamais et préparent pourtant leur rupture. En quoi cela contribue-t-il à soutenir l'action dramatique de la pièce?

3. En disant ce qu'ils ont à se dire, une dernière fois, Médée et/ou Jason espèrent-ils retrouver la sérénité? Peut-on dire que, dans cette scène, le langage a une fonction purificatrice?

Parcours de lecture n° 4 : la confrontation de deux visions du monde

Relisez le texte de «Arrête, arrête, Jason!» à «Retourne-toi et je serai peut-être délivrée...», p. 77-85, puis répondez aux questions suivantes en vous appuyant sur le texte.

Deux personnages devenus inconciliables

1. Quelle vision du monde Jason défend-il? Quelle est celle de Médée? Pourquoi ne peuvent-elles pas cohabiter?

2. Pourquoi Jason considère-t-il qu'il a cessé d'être le héros qu'il était le soir où il a regardé Médée endormie sur son épaule?

3. Expliquez la genèse de la haine mutuelle qui sépare les protagonistes.

Des stratégies qui annoncent la confrontation finale

1. Médée passe de cris violents à un discours énoncé avec calme, d'une «voix humble». Commentez ce changement d'attitude.

2. Jason apparaît-il seulement comme un habile orateur, maîtrisant son discours en froid calculateur? Pourquoi?

3. Jason et Médée éprouvent-ils encore de l'amour l'un pour l'autre? Ne cherchent-ils qu'à manipuler leur interlocuteur respectif? Justifiez votre réponse.

Parcours de lecture n° 5 : la fin du drame, le début du mythe

Relisez le texte, de «Ah! Vous voilà vous deux?» à la fin de la pièce, p. 89-92, puis répondez aux questions suivantes en vous appuyant sur le texte.

Une issue radicale et sans concession

1. Comment Médée considère-t-elle ses enfants dans ce passage? Quel rôle symbolique jouent-ils?

2. En quoi les crimes de Médée peuvent-ils permettre à Jason d'imposer sa vision du monde, loin de la radicalité de l'héroïne?

3. La scène de meurtre et d'incendie contraste fortement avec les dernières répliques entre la Nourrice et le Garde. Quel effet produit ce décalage?

4. Selon le philosophe grec Aristote, une tragédie doit inspirer terreur et pitié au spectateur. La fin de la pièce répond-elle à cette idée? Peut-on éprouver de la compassion pour Médée? Pourquoi?

Médée ou la virginité retrouvée

1. Pourquoi Médée peut-elle s'écrier «J'ai retrouvé ma patrie et la virginité que tu m'avais ravies», p. 91? Comment comprenez-vous cette phrase?

2. Selon vous, l'héroïne accomplit-elle son destin? Pouvait-elle renoncer à commettre ses crimes sans risquer de perdre son identité?

3. Médée va-t-elle jusqu'au bout de son projet? Son suicide, fin originale due à Anouilh, dénature-t-il le mythe grec ou lui donne-t-il une force nouvelle?

Groupement de textes n° 1 : les héroïnes antiques de Jean Anouilh

Eurydice (1942)

Créée en 1942, *Eurydice* fait partie des *Pièces noires*. Fondée sur le mythe d'Orphée et d'Eurydice[1], elle met en scène les deux amants dans un monde contemporain : les personnages se rencontrent dans une gare et partagent une chambre d'hôtel, puis la jeune femme fuit de l'hôtel et meurt dans un accident de la route. Comme dans la légende grecque, les amants se voient accorder une seconde chance : ils se retrouvent l'un en présence de l'autre et Orphée doit attendre le petit matin pour regarder Eurydice. Mais, torturé par le poids de la vérité, il harcèle son amante de questions sur les hommes avec qui elle l'a trompé (Dulac, « ce gros homme [...] avec ses mains pleines de bagues », en fait partie) et cherche à tout prix, fût-ce à celui de la vie, la reconnaissance d'un amour pur et éternel.

EURYDICE *s'est levée, elle crie.* – Mon chéri !

ORPHÉE. – Ah ! non, je ne veux plus de mots ! assez. Nous sommes poissés[2] de mots depuis hier. Maintenant, il faut que je te regarde.

---

1. Orphée est un poète légendaire de la mythologie grecque. Son épouse Eurydice mourut prématurément après son mariage. Inconsolable, Orphée se rendit dans les Enfers, le monde souterrain des morts. Il obtint des dieux infernaux la permission de ramener Eurydice à la vie, à condition qu'il la reconduise à la surface sans la regarder une seule fois. À la toute fin du voyage, Orphée ne résista pas à l'envie de se retourner pour voir sa femme et la perdit ainsi à tout jamais.
2. *Poissés* : salis, englués.

EURYDICE *s'est jetée contre lui, elle le tient à bras-le-corps.* – Attends, attends, s'il te plaît. Ce qu'il faut, c'est sortir de la nuit. C'est bientôt le matin. Attends. Tout va redevenir simple. Ils vont nous apporter du café, des tartines…

ORPHÉE. – C'est trop long d'attendre le matin. C'est trop long d'attendre d'être vieux…

EURYDICE *le tient embrassé; la tête dans son dos, elle supplie.* – Oh! s'il te plaît, mon chéri, ne te retourne pas, ne me regarde pas… À quoi bon? Laisse-moi vivre… Tu es terrible, tu sais, terrible comme les anges. Tu crois que tout le monde avance, fort et clair comme toi, en faisant fuir les ombres de chaque côté de la route… Il y en a qui n'ont qu'une toute petite lumière hésitante que le vent gifle. Et les ombres s'allongent, nous poussent, nous tirent, nous font tomber… Oh! s'il te plaît, ne me regarde pas, mon chéri, ne me regarde pas encore… Je ne suis peut-être pas celle que tu voulais que je sois. Celle que tu aurais inventée dans le bonheur du premier jour… Mais tu me sens, n'est-ce pas, contre toi? Je suis là, je suis chaude, je suis douce et je t'aime. Je te donnerai tous les bonheurs que je peux te donner. Mais ne me demande pas plus que je ne peux, contente-toi… Ne me regarde pas. Laisse-moi vivre… Dis, je t'en prie… J'ai tellement envie de vivre…

ORPHÉE *crie.* – Vivre, vivre! Comme ta mère et sans amant, peut-être, avec des attendrissements, des sourires, des indulgences et puis des bons repas, après lesquels on fait l'amour et tout s'arrange. Ah! non. Je t'aime trop pour vivre!

> *Il s'est retourné, il la regarde, ils sont l'un en face de l'autre maintenant, séparés par un épouvantable silence. Il demande enfin sourdement :*

Il t'a tenue contre lui, ce gros homme? Il t'a touchée avec ses mains pleines de bagues?

EURYDICE. – Oui.

Anouilh, *Eurydice*, in *Pièces noires*,
© La Table Ronde, 1958, p. 411-412.

Questions

1. Eurydice correspond-elle à l'image de l'héroïne représentée par Médée ? Vous fait-elle penser à un autre personnage de la pièce ? Argumentez votre réponse.

2. Comment expliquez-vous la décision d'Orphée ? Peut-on dire que dans *Médée*, comme dans *Eurydice*, les protagonistes « aime[nt] trop pour vivre » ?

3. Attendre le matin pour regarder Eurydice en face aurait-il affaibli la passion d'Orphée ? Aidez-vous de la remarque qu'un personnage de la pièce fait au poète, considérant le jour où il n'aurait plus de désir pour son amante : « Tu aurais été le monsieur qui trompe Eurydice. »

Antigone (1944)

Dans la dernière année de la Seconde Guerre mondiale, Anouilh fait représenter *Antigone*, sa pièce la plus célèbre. Ce drame est inspiré d'un mythe grec déjà traité par l'auteur tragique Sophocle (495-406 av. J.-C.). La pièce se déroule à Thèbes, où les fils d'Œdipe[1] viennent de s'entretuer au cours d'une guerre civile. Le roi Créon, leur oncle, refuse de faire enterrer le cadavre de Polynice. Antigone brave cette décision du roi en essayant d'offrir une sépulture à son frère. Elle est prise sur le fait par les gardes de Créon. Ce dernier se confronte alors à Antigone, pour la persuader de renier son geste. Devant l'obstination de la jeune fille, il finira par la condamner à mort.

CRÉON. – [...] Marie-toi vite, Antigone, sois heureuse. La vie n'est pas ce que tu crois. C'est une eau que les jeunes gens laissent

---

1. *Œdipe* : héros de la mythologie grecque qui, sans le savoir, tua son père et épousa sa mère. Il eut d'elle deux fils, Polynice et Étéocle, et deux filles, Antigone et Ismène.

couler sans le savoir, entre leurs doigts ouverts. Ferme tes mains, ferme tes mains, vite. Retiens-la. Tu verras, cela deviendra une petite chose dure et simple qu'on grignote, assis au soleil. Ils te diront tout le contraire parce qu'ils ont besoin de ta force et de ton élan. Ne les écoute pas. Ne m'écoute pas quand je ferai mon prochain discours devant le tombeau d'Étéocle[1]. Ce ne sera pas vrai. Rien n'est vrai que ce qu'on ne dit pas... Tu l'apprendras toi aussi, trop tard, la vie c'est un livre qu'on aime, c'est un enfant qui joue à vos pieds, un outil qu'on tient bien dans sa main, un banc pour se reposer le soir devant sa maison. Tu vas me mépriser encore, mais de découvrir cela, tu verras, c'est la consolation dérisoire de vieillir, la vie, ce n'est peut-être tout de même que le bonheur.

ANTIGONE *murmure, le regard perdu.* – Le bonheur...

CRÉON *a un peu honte soudain.* – Un pauvre mot, hein ?

ANTIGONE, *doucement.* – Quel sera-t-il, mon bonheur ? Quelle femme heureuse deviendra-t-elle, la petite Antigone ? Quelles pauvretés faudra-t-il qu'elle fasse elle aussi, jour par jour, pour arracher avec ses dents son petit lambeau de bonheur ? Dites, à qui devra-t-elle mentir, à qui sourire, à qui se vendre ? Qui devra-t-elle laisser mourir en détournant le regard ?

CRÉON *hausse les épaules.* – Tu es folle, tais-toi.

ANTIGONE. – Non, je ne me tairai pas ! Je veux savoir comment je m'y prendrai, moi aussi, pour être heureuse. Tout de suite, puisque c'est tout de suite qu'il faut choisir. Vous dites que c'est si beau, la vie. Je veux savoir comment je m'y prendrai pour vivre.

CRÉON. – Tu aimes Hémon[2] ?

---

1. Considérant qu'Étéocle est mort en défendant Thèbes, Créon l'a fait inhumer en grande pompe. Mais, plus tôt dans la pièce, le roi a révélé que les cadavres des deux frères étaient si défigurés qu'on ne pouvait plus les distinguer l'un de l'autre. Le corps enterré dans le tombeau d'Étéocle a été ramassé au hasard sur le champ de bataille ; il pourrait très bien s'agir de Polynice.
2. *Hémon* : fils de Créon, fiancé à Antigone.

ANTIGONE. – Oui, j'aime Hémon. J'aime un Hémon dur et jeune ; un Hémon exigeant et fidèle, comme moi. Mais si votre vie, votre bonheur doivent passer sur lui avec leur usure, si Hémon ne doit plus pâlir quand je pâlis, s'il ne doit plus me croire morte quand je suis en retard de cinq minutes, s'il ne doit plus se sentir seul au monde et me détester quand je ris sans qu'il sache pourquoi, s'il doit devenir près de moi le monsieur Hémon, s'il doit apprendre à dire «oui», lui aussi, alors je n'aime plus Hémon.

CRÉON. – Tu ne sais plus ce que tu dis. Tais-toi.

ANTIGONE. – Si, je sais ce que je dis, mais c'est vous qui ne m'entendez plus. Je vous parle de trop loin maintenant, d'un royaume où vous ne pouvez plus entrer avec vos rides, votre sagesse, votre ventre. *(Elle rit.)* Ah ! je ris, Créon, je ris parce que je te vois à quinze ans, tout d'un coup ! C'est le même air d'impuissance et de croire qu'on peut tout. La vie t'a seulement ajouté ces petits plis sur le visage et cette graisse autour de toi.

CRÉON, *la secoue*. – Te tairas-tu, enfin ?

ANTIGONE. – Pourquoi veux-tu me faire taire ? Parce que tu sais que j'ai raison ? Tu crois que je ne lis pas dans tes yeux que tu le sais ? Tu sais que j'ai raison, mais tu ne l'avoueras jamais parce que tu es en train de défendre ton bonheur en ce moment comme un os.

CRÉON. – Le tien et le mien, oui, imbécile !

ANTIGONE. – Vous me dégoûtez tous, avec votre bonheur ! Avec votre vie qu'il faut aimer coûte que coûte. On dirait des chiens qui lèchent tout ce qu'ils trouvent. Et cette petite chance pour tous les jours, si on n'est pas trop exigeant. Moi, je veux tout, tout de suite, – et que ce soit entier – ou alors je refuse ! Je ne veux pas être modeste, moi, et me contenter d'un petit morceau si j'ai été bien sage. Je veux être sûre de tout aujourd'hui et que cela soit aussi beau que quand j'étais petite – ou mourir.

CRÉON. – Allez, commence, commence, comme ton père[1] !

---

1. Allusion à Œdipe, qui aurait pu vivre heureux s'il n'avait pas mené lui-même l'enquête qui a dévoilé son parricide et son inceste.

ANTIGONE. – Comme mon père, oui! Nous sommes de ceux qui posent les questions jusqu'au bout. Jusqu'à ce qu'il ne reste vraiment plus la plus petite chance d'espoir vivante, la plus petite chance d'espoir à étrangler. Nous sommes de ceux qui lui sautent dessus quand ils le rencontrent, votre espoir, votre cher espoir, votre sale espoir!

CRÉON. – Tais-toi! Si tu te voyais criant ces mots, tu es laide.

ANTIGONE. – Oui, je suis laide! C'est ignoble, n'est-ce pas, ces cris, ces sursauts, cette lutte de chiffonniers[1]. Papa n'est devenu beau qu'après, quand il a été bien sûr, enfin, qu'il avait tué son père, que c'était bien avec sa mère qu'il avait couché, et que rien, plus rien, ne pouvait le sauver. Alors, il s'est calmé d'un coup, il a eu comme un sourire, et il est devenu beau. C'était fini. Il n'a plus eu qu'à fermer les yeux pour ne plus vous voir! Ah! vos têtes, vos pauvres têtes de candidats au bonheur! C'est vous qui êtes laids, même les plus beaux. Vous avez tous quelque chose de laid au coin de l'œil ou de la bouche. Tu l'as bien dit tout à l'heure, Créon, la cuisine[2]. Vous avez des têtes de cuisiniers!

Anouilh, *Antigone*, © La Table Ronde, 1975, p. 96 et suiv.

Questions

1. Quelle conception du bonheur défend le roi? À quel personnage de *Médée* vous fait-il penser? En quoi le personnage de Créon contribue-t-il à faire d'Antigone une héroïne?

2. Quand Antigone dit «Moi, je veux tout, tout de suite, et que ce soit entier ou alors je refuse», se rapproche-t-elle ou non de la position adoptée par Médée? Justifiez votre réponse. Comment Antigone conçoit-elle le bonheur?

---

1. *Chiffonniers* : vendeurs de vieux chiffons. «Se disputer comme des chiffonniers» signifie «se disputer de façon violente et bruyante».
2. Plus tôt dans la pièce, Créon a comparé la politique à la cuisine.

3. D'après vous, peut-on trouver un compromis entre les deux idées du bonheur que se représentent Créon et Antigone ? Quelle conclusion logique cela appelle-t-il dans la pièce ?

Tu étais si gentil quand tu étais petit (1972)

Œuvre créée en 1972 et appartenant aux *Pièces secrètes* d'Anouilh, *Tu étais si gentil quand tu étais petit* reprend le mythe antique exploité par le dramaturge grec Eschyle (v. 525-v. 465 av. J.-C.) dans sa pièce *Les Choéphores*. Au retour de la guerre de Troie, le roi d'Argos Agamemnon a été assassiné par sa femme Clytemnestre et Égisthe, l'amant de celle-ci. Le fils du roi, Oreste, revient d'exil incognito pour venger son père, avec l'aide de sa sœur Électre. Anouilh transpose ce mythe dans un café-concert, en France, dans les années 1970. À la fin de la pièce, une fois qu'Oreste a tué Égisthe et Clytemnestre (sa propre mère), il demande à sa sœur d'oublier la haine qui l'a habitée pendant des années. Mais Électre n'est pas prête à lui obéir.

ORESTE. – […] Ce qui devait être fait a été fait. Il faut que tu me laisses maintenant, et que tu laisses ta haine. Vous m'avez gorgé de haine, le vieux[1] et toi. La haine me répugne aussi et me fait vomir. Je suis libéré maintenant, et tout m'est égal.

ÉLECTRE *le regarde, toute droite, durcie soudain elle lui dit sourdement, tendant ses mains.* – Moi je ne suis pas libérée. Regarde mes mains !

ORESTE. – Je me fous de tes mains rouges, Électre ! Cela a été ta façon à toi de les soigner. Ta coquetterie. Je me fous de ton malheur ! Tu l'as trop aimé. Il faut faire des choses plus simples, maintenant. Rentre dans le palais et fais les gestes qu'on doit

---

1. *Le vieux* : le Pédagogue, autrefois chargé de l'éducation d'Oreste. Politicien et patriote haineux, il utilise la vengeance de son ancien élève pour renverser le pouvoir d'Égisthe et de Clytemnestre, accusés d'opprimer la patrie.

faire en ces circonstances : officiellement tu viens de perdre ta mère. Moi je ne suis qu'un étranger qui était venu ici annoncer la mort d'Oreste, je vais reprendre mon sac et mon bâton et repartir.

> *Il a été prendre son sac qu'il a jeté sur son épaule, son bâton. Électre le regarde droite, muette, il ajoute :*

Conseille aussi au vieux patriote, qui est en train de se faire acclamer par la foule au milieu d'une floraison de petits drapeaux tricolores, dans les rues, puant la frite et le vin rouge, de ne jamais reparaître devant moi. Il me dégoûte encore plus qu'Égisthe, tous comptes faits. Je suis plus rapide que lui et je pourrais lui apprendre que j'ai profité de ses leçons, au couteau, et que je n'ai pas oublié ses coups. Adieu ma petite sœur haineuse, deviens grande, si tu le peux. Notre enfance est finie...

ÉLECTRE, *sourdement*. – Je n'ai plus rien, Oreste.

ORESTE. – Tu as ta haine. Elle te servira de famille. Et tu n'en finiras plus de raconter cette histoire, cela te tiendra lieu de vie. Va. Ton rôle à toi est terminé.

> Anouilh, *Tu étais si gentil quand tu étais petit*, in *Pièces secrètes*,
> © La Table Ronde, 1977, p. 81-82.

Questions

1. Quel portrait d'Électre Oreste brosse-t-il ? Vous semble-t-il rappeler le personnage de Médée ? Justifiez votre réponse.

2. Montrez les différences qui distinguent nettement Électre et son frère. Font-elles de l'héroïne un personnage plus intéressant que celui d'Oreste ? Pourquoi ?

3. D'après vous, après un tel événement (un assassinat doublé d'un matricide), peut-on dire comme Oreste : «Je suis libéré maintenant»? Comment comprenez-vous la réponse d'Électre : «Moi je ne suis pas libérée»?

Groupement de textes n° 2 : Médée, une figure entre continuité et renouvellement

Euripide, *Médée* (Vᵉ siècle av. J.-C.)

Euripide (480-406 av. J.-C.), l'un des trois grands tragiques grecs avec Eschyle et Sophocle, est le premier auteur connu à proposer une version théâtrale du mythe de Jason et de Médée, en 431 av. J.-C. Sa pièce se distingue par son extrême sobriété et par la grandeur tragique du personnage principal. Déchirée à l'idée d'égorger ses enfants, Médée semble commettre son crime sous l'impulsion du destin. Dans cette scène, après avoir envoyé un diadème empoisonné à sa rivale, Médée se retrouve seule avec ses deux fils. Elle est partagée entre la tentation de se suicider auprès de ses enfants et l'idée de l'infanticide. Dans une délibération intérieure, à la fois terrifiante et pathétique, Médée se met à nu, pour la première fois dans le théâtre occidental.

MÉDÉE. – [...] Ah! naguère[1], j'en porte témoignage du fond de mon malheur, je faisais reposer sur vous tant d'espérances! pour ma vieillesse que vous nourririez, pour ma mort que vos mains honoreraient de dignes obsèques – sort enviable pour les humains... À néant[2] aujourd'hui ces douces pensées! Dépossédée de vous je traînerai une vie de chagrin en portant votre deuil. Et votre mère, vos yeux chéris ne la verront plus : vous serez entrés, loin de moi, dans une autre existence!... Hélas! pourquoi levez-vous sur moi vos regards, mes petits? pourquoi me souriez-vous ainsi – votre dernier sourire? Ah! que faire? *(Se*

---

1. *Naguère* : jadis, il y a longtemps.
2. *À néant* : elles sont réduites à néant.

retournant, éperdue, vers le Chœur[1]) Le cœur me manque, amies, en voyant le regard radieux de ces petits! Non, je ne pourrai pas... Adieu la résolution que j'avais prise : j'emmènerai ces enfants hors d'ici, ils sont à moi! Faut-il, pour accabler le père par le malheur de ses fils, me rendre moi-même doublement malheureuse? Non, je ne ferai pas cela! Adieu mes résolutions!...

Mais quoi? Où en suis-je? M'offrir en cible aux risées[2], est-ce là ce que je veux, en laissant échapper à leur châtiment mes ennemis? Ce que j'ai dit, je l'oserai, il le faut. Ah! quelle lâcheté je montre, rien qu'à entrouvrir mon âme à des idées d'accommodement[3]! Rentrez à la maison, mes enfants. *(Les deux enfants se retirent.)* Celui à qui sa conscience interdit d'assister au sacrifice que je vais accomplir, à lui d'aviser! Ma main sera sans défaillance.

... Oh! non! non!... Ô rancune qui me tiens, ne m'inflige pas cette horreur! Laisse-les, épargne ces petits, malheureuse! Même s'ils restent en vie loin de moi, ne seras-tu pas satisfaite?... Mais non! j'en atteste les Génies infernaux[4], les Vengeurs d'outre-tombe, il ne sera pas dit, jamais, que moi, à mes ennemis je livrerai mes propres enfants pour qu'ils subissent leurs représailles! De toute façon, le sort en est jeté, et elle n'échappera point : le diadème au front, drapée du voile, la royale épousée[5] se meurt, c'est très sûr, je le sais... Eh bien, puisque je vais m'engager dans la voie la plus atroce, je veux adresser encore un mot à mes fils.

Euripide, *Médée*, in *Les Tragiques grecs*, trad. V.-H. Debidour,
© Éditions de Fallois, rééd. LGF,
coll. «La Pochothèque», 1999, p. 840.

---

1. *Le Chœur* : groupe de figurants qui assistent à l'action et la commentent dans le théâtre grec. Dans cette pièce d'Euripide, le Chœur est composé de douze Corinthiennes, qui ont pris parti pour Médée.
2. *Risées* : moqueries.
3. *Accommodement* : compromis.
4. *Génies infernaux* : divinités du monde des morts. Parmi elles se trouvent les Érinyes, déesses de la vengeance.
5. Il s'agit de la princesse de Corinthe, la nouvelle épouse de Jason.

Questions

1. Comparez l'attitude de Médée face à ses enfants dans la pièce d'Euripide et dans celle d'Anouilh. Quelle évolution remarquez-vous?

2. Le personnage d'Euripide vous inspire-t-il de la pitié? Pourquoi?

3. La figure de la mère est-elle ici source d'un tragique particulier? Dans quel sens?

Sénèque, *Médée* (Ier siècle apr. J.-C.)

À la différence de la Médée d'Euripide, celle du philosophe et dramaturge romain Sénèque (v. 4 av. J.-C.-65 apr. J.-C.) est taillée selon le goût des Romains du Ier siècle : elle est monstrueuse, c'est-à-dire digne d'être montrée tant elle sort du commun, et rugueuse. C'est sur scène qu'elle assassine ses propres enfants. La magicienne annonce, dès le début de l'œuvre : *Medea fiam* («je deviendrai Médée»). Elle conclura : *Medea nunc sum* («maintenant je suis Médée»). La différence avec Euripide est patente : la tragédie romaine révèle une créature froide qui se défait de toute humanité. Ce personnage viole ouvertement les principes de la philosophie stoïcienne si chers à Sénèque. Loin de l'absence de trouble («ataraxie») cultivée par les stoïciens, Médée porte à son comble les passions les plus destructrices.

MÉDÉE. – [...] Tu aimes encore, insensé que tu es, mon cœur, si tu te contentes du veuvage de Jason[1]. Cherche un genre de châtiment tel qu'on n'en a jamais vu et mets-toi désormais en condition ainsi : que tout respect des lois divines soit exclu, que toute conscience morale soit bannie et chassée; bien légère est une vengeance dont les instruments sont des mains exemptes[2] de

---

1. *Du veuvage de Jason* : d'avoir rendu Jason veuf en tuant Créuse.
2. *Exemptes* : pures.

souillure. Donne libre cours à tes accès de colère, ranime-toi dans les moments de faiblesse et va au plus profond de toi, mon cœur, de toute ta violence, recherche les élans dont tu as été capable. Tous les méfaits accomplis jusqu'à présent, qualifions-les d'actes pieux[1]. Passe à l'acte et je ferai comprendre aux Corinthiens combien de peu de poids et combien de facture commune étaient les crimes que j'ai commis pour Jason[2]. Ce n'était là que le galop d'essai de ma rancœur : que pouvaient oser de pareil des mains encore inexpertes, une fureur de jeune fille hors d'elle-même ? Maintenant, je suis Médée ; mes dons naturels se sont développés dans le mal : je suis heureuse, oui, heureuse d'avoir décapité mon frère, heureuse d'avoir dépecé son corps, heureuse d'avoir dépouillé mon père de l'objet sacré jalousement gardé[3], heureuse d'avoir armé les mains des filles pour provoquer la perte de leur vieux père[4]. Cherche une nouvelle matière, ma rancœur : quel que soit le crime, la main que tu emploieras ne sera pas celle d'une novice. Où te portes-tu donc, ma rage, et quels traits lances-tu contre ton perfide ennemi ? Mon cœur farouche a pris en lui-même je ne sais quelle résolution et il n'ose encore se l'avouer. Dans ma sottise, je me suis trop hâtée : si seulement mon ennemi avait des enfants de sa concubine[5] ! Tout ce que Jason t'a donné devient désormais la lignée de Créuse. Voici le genre de châtiment que j'ai décidé, et que j'ai décidé à juste titre : le couronnement de mon œuvre criminelle doit être préparé avec une énergie sans faille ; enfants, qui fûtes jadis à moi, c'est à vous d'expier les crimes de votre père. Mais mon cœur a tressailli d'horreur, mes membres se figent, ils se glacent, ma poitrine a tremblé. La colère a quitté la place, la mère a chassé l'épouse et revient tout entière.

---

1. *Pieux* : respectueux de la morale et des liens familiaux.
2. *Combien de peu [...] pour Jason* : à quels points les crimes commis pour Jason (trahison, fratricide et meurtre) étaient légers et banals.
3. *L'objet sacré jalousement gardé* : la Toison d'or. Voir présentation, p. 16.
4. Allusion à la mort du roi Pélias, ennemi de Jason. Par la ruse, Médée a poussé les filles de Pélias à égorger leur père. Voir présentation, p. 18.
5. *Sa concubine* : Créuse.

Moi, je répandrais le sang de mes enfants, de ma propre descendance ? Adopte une meilleure attitude, Fureur insensée ! Que ce forfait sans pareil, cette impiété meurtrière demeurent à l'écart même de moi ; quel crime les malheureux enfants expieront-ils ? Leur crime est la personne de leur père, Jason, et crime plus grave encore, la personne de leur mère, Médée : qu'ils meurent, ils ne sont pas à moi ; que je les fasse périr, ils sont à moi. Ils ne sont coupables d'aucun crime, d'aucune faute, ils sont innocents : je l'avoue. Mais mon frère aussi était innocent. Pourquoi es-tu chancelante, mon âme ?

Sénèque, *Médée*, trad. Ch. Guittard,
GF-Flammarion, 1997, p. 83-85.

Questions

1. Quel tournant les mots «Maintenant je suis Médée» symbolisent-ils ? Quel rôle jouent-ils dans la progression de la tragédie ?

2. Relevez les caractéristiques du personnage de Médée tel que le présente Sénèque. En quoi celle d'Anouilh en est-elle à la fois proche et distincte ? Argumentez en citant le texte.

3. D'après vous, un spectateur d'aujourd'hui sera-t-il plus (ou moins) sensible à *Médée* de Sénèque qu'à la pièce d'Anouilh ? ou différemment ? Justifiez votre réponse en considérant les évolutions historiques et culturelles qui séparent le XXIe siècle de l'époque romaine.

Corneille, *Médée* (1635)

Pierre Corneille (1606-1684) écrit *Médée* en 1635. La pièce ne suscite qu'un enthousiasme fort tiède ; elle reste toutefois une œuvre sans équivalent parmi les tragédies françaises classiques. Dans le texte de Corneille, Médée est confrontée à un dilemme : se venger jusqu'au bout, ou se contenter de quitter Jason. Elle choisit de tuer sa rivale et de commettre un double infanticide. Au moment de disparaître, à la fin de la pièce, elle s'adresse à Jason dans une dernière bravade, cruelle et lugubre.

MÉDÉE, *en haut sur un balcon.*

[...]
Lève les yeux, perfide, et reconnais ce bras
Qui t'a déjà vengé de ces petits ingrats ;
Ce poignard que tu vois vient de chasser leurs âmes,
Et noyer dans leur sang les restes de nos flammes.
Heureux père et mari, ma fuite et leur tombeau
Laissent la place vide à ton hymen[1] nouveau.
Réjouis-t'en, Jason, va posséder Créuse :
Tu n'auras plus ici personne qui t'accuse ;
Ces gages[2] de nos feux ne feront plus pour moi
De reproches secrets à ton manque de foi[3].

JASON

Horreur de la nature, exécrable tigresse !

MÉDÉE

Va, bienheureux amant, cajoler ta maîtresse :
À cet objet[4] si cher tu dois tous tes discours ;
Parler encore à moi, c'est trahir tes amours.
Va lui, va lui conter tes rares[5] aventures,
Et contre mes effets[6] ne combats point d'injures[7].

JASON

Quoi ! tu m'oses braver, et ta brutalité

---

1. *Hymen* : mariage.
2. *Gages* : témoignages.
3. *Foi* : fidélité.
4. *Objet* : être aimé.
5. *Rares* : exceptionnelles.
6. *Effets* : actes.
7. *D'injures* : par des injures.

Pense encore échapper à mon bras irrité?
Tu redoubles ta peine[1] avec cette insolence.

MÉDÉE

Et que peut contre moi ta débile[2] vaillance?
Mon art[3] faisait ta force, et tes exploits guerriers
Tiennent de mon secours ce qu'ils ont de lauriers[4].

JASON

Ah! c'est trop en souffrir; il faut qu'un prompt supplice
De tant de cruautés à la fin te punisse.
Sus[5], sus, brisons la porte, enfonçons la maison;
Que des bourreaux soudain m'en fassent la raison[6].
Ta tête répondra de tant de barbaries.

MÉDÉE, en l'air dans un char tiré par deux dragons.

Que sert de t'emporter à ces vaines furies?
Épargne, cher époux, des efforts que tu perds;
Vois les chemins de l'air qui me sont tous ouverts;
C'est par là que je fuis, et que je t'abandonne
Pour courir à l'exil que ton change[7] m'ordonne.
Suis-moi, Jason, et trouve en ces lieux désolés[8]
Des postillons[9] pareils à mes dragons ailés.
Enfin je n'ai pas mal employé la journée
Que la bonté du roi, de grâce, m'a donnée[10];
Mes désirs sont contents. Mon père et mon pays,
Je ne me repens plus de vous avoir trahis;

---

1. *Peine* : punition.
2. *Débile* : faible, impuissante.
3. *Mon art* : ma sorcellerie.
4. *Ce qu'ils ont de lauriers* : leurs victoires.
5. *Sus* : à l'attaque.
6. *M'en fassent la raison* : me vengent.
7. *Change* : changement d'épouse (Jason a quitté Médée pour Créuse).
8. *Désolés* : ravagés et désertés.
9. *Postillons* : conducteurs de carosse, cochers.
10. Créon avait accordé une journée à Médée pour partir de Corinthe. Elle l'a utilisée pour se venger.

Avec cette douceur j'en accepte le blâme.
Adieu, parjure : apprends à connaître ta femme,
Souviens-toi de sa fuite, et songe, une autre fois,
Lequel est plus à craindre ou d'elle ou de deux rois[1].

Corneille, *Médée*, éd. I. Périer, Flammarion,
coll. «Étonnants Classiques», 2014, p. 133-135.

Questions

1. Relevez les expressions qui rendent le discours de Médée sarcastique. Dans quel but prend-elle ce ton ?
2. Montrez que Jason paraît impuissant face à Médée. Anouilh traite-t-il de la même façon le face-à-face final des deux personnages ? Illustrez votre propos par des citations du texte.

Médée d'Anouilh vue par son interprète, Ariane Komorn

Née en 1988, la comédienne Ariane Komorn commence très tôt sa carrière en jouant le répertoire de Molière. Abordant progressivement des grands classiques (*Britannicus*, *Phèdre*), elle rejoint en 2011 la compagnie Rhinocéros, qui monte *Médée* de Jean Anouilh sous la direction de Jean-Gabriel Vidal. La mise en scène de cette jeune troupe remporte un franc succès à Béziers puis au festival d'Avignon *off* en 2012, où la pièce est représentée vingt-trois fois. Ariane Komorn, qui joue Médée, évoque de l'intérieur les liens particuliers qui unissent cette femme à Jason et au reste du monde.

Médée est une force. Le monde à ses yeux n'a pas de sens, les dieux indifférents y regardent leurs créatures souffrir et se débattre.

---

1. Ces deux rois sont Créon, souverain de Corinthe, et Acaste, roi de Thessalie, qui avait demandé l'exil de Médée.

Seules les «âmes fortes» y impriment leur marque, en embrassant la révolte et l'horreur et en refusant le compromis et la médiocrité. La forme qu'elle a donnée à ce monde, c'est celle de son union avec Jason, «Jason-Médée», le seul absolu qu'elle reconnaisse.

Que Jason veuille s'en extraire, qu'il lui présente une autre vision du monde, c'est la tension insurmontable qui pousse la tragédie vers son dénouement. Après dix années de crimes et d'aventures, d'exaltation, il aspire à une vie rangée, à des plaisirs simples dont il est prêt désormais à «se contenter».

Médée lutte d'abord contre elle-même – c'est une femme abandonnée qui souffre atrocement, et qui sait que la souffrance achèvera l'humanité en elle et la poussera vers les pires extrémités. Pour empêcher son monde d'éclater, il faut que Jason lui conserve son amour ou sa haine, c'est égal.

La vraie rupture – et je crois que Jason le sait, lui qui la connaît si bien –, c'est de venir lui exprimer sa tendresse. La tendresse n'existe pas dans le monde de Médée, elle est le sentiment des petits, des médiocres. Une fois que ces mots sont dits, les dés sont effectivement jetés.

Entretien avec Ariane Komorn réalisé pour cette édition,
© Ariane Komorn, 2014.

Questions

1. Comment Ariane Komorn décrit-elle la façon de penser de Médée ? Dressez la liste des éléments qui caractérisent sa vision du monde.

2. D'après l'analyse d'Ariane Komorn, expliquez en quoi l'ultime face-à-face entre les deux personnages ne peut conduire qu'à une rupture funeste. Étayez votre propos de citations du texte d'Anouilh.

3. D'après vous, Médée aurait-elle pu trouver une autre solution que le crime tout en restant fidèle à sa conception du monde ? Qu'en concluez-vous sur le fonctionnement d'une tragédie ?

Groupement de textes n° 3 : mettre en scène Jean Anouilh

Entretien avec Marc Paquien : mettre en scène *Antigone*

Marc Paquien est un metteur en scène français, né en 1968. Très attentif au texte dans ses mises en scène, il s'est illustré dans la création de grandes pièces de théâtre du xxᵉ siècle : *Oh les beaux jours* (1961) de Samuel Beckett, en 2012 au théâtre de la Madeleine, ainsi que *La Voix humaine* (1930) de Jean Cocteau, en 2012, au Studio-Théâtre de la Comédie-Française. La même année, à la Comédie-Française, il propose sa mise en scène d'*Antigone* de Jean Anouilh, reprise en 2013 et 2014. Dans cet entretien, Marc Paquien s'attache à mettre en lumière les liens qui unissent *Antigone* et *Médée*. Il dévoile l'unité du théâtre d'Anouilh, qui traite avec acuité les questions cruciales de notre société.

Grégoire Schmitzberger. – Le fait de traiter une pièce de Jean Anouilh fondée sur un mythe, en l'occurrence grec, vous a-t-il conduit à faire des choix de mise en scène spécifiques ?

Marc Paquien. – Il faut tout d'abord parler de la question de l'écriture et du message que veut faire passer Anouilh. Ce ne sont pas les mêmes enjeux qui sont représentés dans la tragédie grecque et chez l'écrivain du xxᵉ siècle. S'il en garde certains aspects de la structure (les trois portes, le Chœur dans *Antigone*), Anouilh s'éloigne de la tragédie en plusieurs points. On ne peut donc parler d'une récriture ou d'une actualisation de la tragédie : ce sont des pièces à part entière, écrites par nécessité. C'est notre *Antigone*, notre *Médée*... En ce qui concerne *Antigone*, elle fut écrite à partir de 1942 et représentée au début de l'année 1944, et si elle n'est ni une apologie de la Résistance ni une pièce collaborationniste[1], il faut souligner l'énorme impact de sa création.

Anouilh a déclaré : « L'*Antigone* de Sophocle, lue et relue, et que je connaissais par cœur depuis toujours, a été un choc soudain pour moi pendant la guerre, le jour des petites affiches rouges[2]. Je l'ai récrite à ma façon, avec la résonance de la tragédie que nous étions alors en train de vivre. »

Je crois que c'est cela qui m'a intéressé dès le départ : la nécessité de cette écriture (il aurait été plus simple pour André Barsacq[3] de représenter la tragédie de Sophocle) et le fait qu'elle parlait directement à ses contemporains, donc à nous-mêmes aujourd'hui (car, de 1944 à nos jours, nous vivons bien dans le même monde issu de cette tragédie). La pièce s'éclaire aussi avec la distance des années. J'ai beaucoup regardé le magnifique film de Theo Angelopoulos[4], *Le Voyage des comédiens*, qui est aussi un voyage à travers le mythe. La dictature y est représentée de manière très significative. Anouilh dans son *Antigone* rompt avec la tragédie sur plusieurs points : l'annonce de la mort d'Antigone (qui se fait plus tardivement que chez Sophocle), et surtout en mettant en place un monde sans dieux. Chez Sophocle, Antigone parle au nom des dieux, et elle a le peuple avec elle. Chez Anouilh, c'est un mouvement plus personnel, presque égoïste. Quand Créon lui demande pourquoi elle fait cela, elle répond : « pour personne, pour moi ». Bien sûr, ce qui nous a aussi aidés, ce sont les nombreuses incarnations d'Antigone dans le monde

---

1. *Collaborationniste* : qui prend parti pour le gouvernement de Vichy, qui collabora avec l'occupant allemand de 1940 à 1944.
2. En 1944, le gouvernement de Vichy fit placarder l'« Affiche rouge », qui annonçait la condamnation à mort de vingt-trois résistants, assimilés à des terroristes.
3. *André Barsacq* (1909-1973) : homme de théâtre français, qui mit en scène les premières représentations d'*Antigone*.
4. *Theo Angelopoulos* (1935-2012) : cinéaste grec. Son film *Le Voyage des comédiens* montre une troupe d'acteurs itinérants dans la Grèce soumise à la dictature des colonels (qui dirigea le pays de 1967 à 1974) ; il s'inspire du mythe d'Électre et d'Oreste.

réel : on pourrait citer Simone Weil, Hannah Arendt, Gisèle Halimi[1]... Antigone comme Médée habitent notre monde.

Grégoire Schmitzberger. – Quand on met en scène une pièce d'Anouilh, comment représenter au théâtre, tout en restant fidèle à la pensée de l'auteur, la rencontre de deux visions du monde incompatibles ?

Marc Paquien. – Ce sont justement ces deux visions du monde incompatibles qui rendent la pièce si intéressante. Anouilh, dans *Antigone*, ne prend pas parti pour l'un ou l'autre personnage, il donne à voir et à entendre, il expose et déroule la tragédie. Les personnages ne sont pas linéaires. La condamnation d'Antigone n'intervenant qu'à la fin de la pièce, on se demande tout du long si elle ne va pas flancher... Chez Sophocle, c'est la loi de la cité contre la loi du sang ; chez Anouilh, les choses sont beaucoup plus obscures et complexes. C'est le conflit entre la raison d'État et la volonté individuelle. Il y a une notion de pureté très importante chez Antigone, un refus total de la compromission. Le personnage de Créon est humanisé au plus haut point et pose la question de la politique aujourd'hui : est-ce une pensée ou un métier ? Donc je crois qu'en mettant en scène Anouilh il faut clairement exposer ces deux visions antagonistes du monde, mais ne surtout pas choisir entre les deux. Il faut laisser le spectateur faire son travail de pensée...

Entretien de Marc Paquien avec Grégoire Schmitzberger
réalisé pour cette édition, © Marc Paquien, 2014.

Questions

1. Quand le même mythe est traité par un auteur grec antique et par Anouilh, quelles sont les principales différences entre les deux pièces ? Appuyez-vous sur la comparaison entre Sophocle et Anouilh.

---

1. *Simone Weil* (1909-1943) : philosophe française d'origine juive, morte de faim pendant la Seconde Guerre mondiale. *Hannah Arendt* (1906-1975) : philosophe allemande d'origine juive, qui a fui l'Allemagne nazie en 1933. *Gisèle Halimi* (née en 1927) : militante féministe franco-tunisienne, qui prit parti pour la légalisation de l'avortement dans les années 1970.

2. En vous fondant sur le texte de Marc Paquien, trouvez dans *Médée* des passages qui mettent en évidence les thèmes présents dans *Antigone* (refus de la compromission, conflit entre la raison d'État et la volonté individuelle, etc.).

3. Imaginez au moins trois éléments de mise en scène qui puissent illustrer le propos de Marc Paquien. Appliquez-les à *Médée*, en décrivant le plus précisément possible votre idée et son éventuelle mise en œuvre.

Entretien avec Ariane Komorn : mettre en scène *Médée*

En incarnant Médée dans la mise en scène de Jean-Gabriel Vidal, Ariane Komorn a vécu de l'intérieur la création de *Médée* d'Anouilh. Du texte à la représentation concrète, elle tient compte des contraintes physiques les plus triviales (taille de la salle, proximité avec le public), qui construisent aussi sa compréhension du personnage et de la pièce dans son ensemble, d'autant plus qu'elle en joue le rôle-titre. Son expérience particulièrement enrichissante rend compte d'une véritable réflexion sur la mise en scène.

Anouilh écrit *Médée* en 1946, mais la pièce n'est pas ancrée dans une époque. Jean-Gabriel Vidal, le metteur en scène, a pris le parti de la situer aussi près de nous que possible. Notre Médée vit avec sa Nourrice dans un campement de fortune, comme ceux qu'on peut voir à la périphérie des grandes villes, où quelques palettes et meubles défoncés préservent à peine l'intimité de la couche. Des cadavres de bière jonchent le sol. C'est de cet espace de déréliction [1] que l'ancienne princesse a fait son nouveau royaume.

Médée porte une petite robe de soie claire qui rappelle son origine royale, mais qui est maculée de boue. Le contraste est saisissant

---

1. *Déréliction* : abandon et pauvreté.

avec les costumes de Créon et de Jason arrivant de la noce voisine. Médée les regarde, sarcastique, répugner à se salir les chaussures.

Nous avons joué sur des lumières très froides, au caractère anxiogène, qui marquent l'isolement du personnage central. Elles tirent sur le bleu dans les dernières scènes pour accentuer son tournant monstrueux. Nous avons toutefois détaché un moment d'intimité qui est une respiration au milieu de la pièce. C'est après que Médée, rendue folle de douleur par l'indifférence de Jason, s'est effondrée au sol, vidée, que Jason peut enfin lui dire sa vérité à lui sur leur histoire. Une lumière chaude les enveloppe alors et le texte, enregistré, est chuchoté à l'oreille de Médée.

Lorsqu'on joue une même pièce dans des salles différentes, il faut adapter la scénographie et le jeu à l'espace. Ainsi, au théâtre municipal de Béziers, la profondeur de la scène permet de créer plusieurs plans, les personnages sont le plus souvent en mouvement, ils projettent leur énergie pour occuper l'espace. À l'inverse, sur une petite scène avignonnaise, il nous a fallu épurer tout à fait le décor. Le lieu de l'action est indéterminé et nous exploitons alors le caractère étouffant du cube noir que constitue la salle. L'énergie est nécessairement plus intérieure, compte tenu de la proximité des spectateurs.

Entretien avec Ariane Komorn réalisé pour cette édition,
© Ariane Komorn, 2014.

Questions

1. D'après ce texte, comment la mise en scène de Jean-Gabriel Vidal a-t-elle réussi à jouer avec la dynamique de la pièce d'Anouilh ? Citez des exemples aussi précis que possible.

2. Comment la présence de la roulotte est-elle exploitée par Jean-Gabriel Vidal ? Que pensez-vous de ce choix ? Argumentez votre réponse.

3. Cette mise en scène se situe-t-elle dans un lieu et une époque précis ? Cela a-t-il un rapport avec une quelconque dimension mythique ? avec la société contemporaine ? Justifiez votre réponse.

Anouilh, *En marge du théâtre*

Essentiellement connu comme dramaturge, Jean Anouilh s'est aussi consacré à la composition d'articles critiques, publiés tant dans *Théâtre 1947* ou *Le Figaro* que dans *Elle* et *Paris Match*. Ces textes éclairent le rapport que Jean Anouilh entretient avec son art. Il tient un discours clair et incisif sur les conditions qui permettent de créer un «instant de théâtre». Sans illusion sur le théâtre, il en croque les caractéristiques dans *Le Figaro* du 29 septembre 1966.

Plongé dans les affres d'une mise en scène – cette aventure bizarre, merveilleuse et toujours désespérée qui consiste avec des lumières, des mots, des bouts de bois et des comédiens (parfois aussi résistants les uns que les autres) à donner une forme à un rêve, cette empoignade avec le réel, où les responsabilités d'un chef de gare de triage, d'un général en chef, d'un adjudant souvent, et d'un poète quelquefois, se mélangent curieusement – il m'arrive, rentrant harassé, de perdre les quelques heures des derniers jours réservés au sommeil, à des réflexions sur le théâtre. [...]

Je voudrais seulement vous amener à rêver à cette idée toute simple qui me hante en sortant de cet antre obscur où, démiurge maladroit et omnipotent (on me le fait payer cher quand ça ne marche pas !), je suis chaque après-midi et chaque soir en train de recréer la vie, la fausse, c'est-à-dire LA VRAIE : nous passons notre vie tous à faire du théâtre.

Je veux dire que nous passons notre vie tous à chercher à créer cet «instant de théâtre», secret du vrai auteur et du vrai metteur en scène – où, de la rencontre en apparence fortuite d'une idée, d'un geste exact et d'une intonation juste, la vérité de l'homme va surgir. Scène de jalousie, aveu de l'amour naissant, décision d'État ou piège de l'homme d'affaires, c'est toujours un «moment de théâtre» que nous essayons de créer.

Jean Anouilh, *En marge du théâtre*,
© La Table ronde, 2000, p. 149-150.

Questions

1. Quelles sont les conditions nécessaires pour créer un «instant de théâtre» d'après Jean Anouilh? Citez le texte dans votre réponse.

2. Sur quel paradoxe se fonde le théâtre? Que désigne Jean Anouilh lorsqu'il parle de «LA VRAIE» vie?

3. Choisissez dans *Médée* un «instant de théâtre» au sens de Jean Anouilh. Quelles caractéristiques y sont identifiables en termes d'intonation des acteurs, de sens et de force du texte? Imaginez-vous à la place du metteur en scène de ce passage : précisez tout ce qui doit permettre de créer cet «instant de théâtre».

Sujet d'écriture : argumentation

Selon vous, peut-on véritablement parler de Médée comme d'une héroïne? Argumentez votre réponse en vous appuyant sur le texte.

Lecture de l'image : deux interprétations de *Médée*, cahier photos, p. 4-5

Observez les clichés de mises en scène de *Médée* par Jean-Gabriel Vidal et Ladislas Chollat, puis répondez aux questions suivantes.

1. Décrivez le costume de l'actrice principale dans les deux mises en scène. Qu'en déduisez-vous sur le personnage ?
2. Comment Créon et Jason sont-ils vêtus ? Comparez leurs habits à ceux de Médée. Pourquoi leurs costumes les apparentent-ils l'un à l'autre ?
3. Étudiez le regard des acteurs. Celui de Médée évoque-t-il la même attitude dans les deux interprétations ?
4. Quels éléments de décor apparaissent dans chacune des mises en scène ? Expliquez ce parti pris.

Imprimé à Barcelone par:

BLACK PRINT

Mise en page par Meta-systems
59100 Roubaix

N° d'édition : L.01EHRN000271.C005
Dépôt légal : février 2014